W9-AKS-584

Le Pari des trois malandrins

conte illustré par Julie Wendling

Un paysan conduisait vers la ville une chèvre qu'il voulait vendre au marché. Il s'était installé confortablement : assis sur son âne, la chèvre trottinant derrière lui, attachée à une corde, avec un grelot tintinnabulant au cou. Ce petit bruit indiquait au paysan que sa chèvre suivait docilement, aussi, sans souci, se balançant doucement au trot de son grison, se laissait-il aller à une douce rêverie, tout en sifflotant un air sans fin.

Trois malandrins, dissimulés dans les branches d'un figuier, observaient la marche de cette ingénieuse caravane. Ils estimèrent que c'était là une cible idéale sur laquelle exercer leur esprit et leur adresse.

– Je parie, dit le premier, que je vole à ce niais sa chèvre, sans qu'il s'en doute !

– Et moi, dit le deuxième, que je lui achète son âne à la foire d'empoigne !

– Ce ne sera pas si facile que ça, dit le troisième, mais moi, je parie plus fort : que je vais lui prendre les vêtements qu'il porte sur le dos, et qu'encore, il me remerciera !

Les trois larrons attendirent que le paysan et ses bêtes aient dépassé leur abri feuillu, puis aussitôt, le premier se laissa glisser au sol comme un écureuil et, sans bruit, il courut jusqu'à la chèvre. D'un geste rapide, il coupa la corde qui attachait le grelot à son encolure et l'attacha à la queue de l'âne. En moins de deux, il avait disparu dans l'épaisseur des fourrés, avec biquette.

Le paysan entendait toujours le tintement bien connu du grelot, mi-éveillé, mi-sommeillant, et jamais il ne lui serait venu à l'idée que cet accompagnement familier à son trottinement ne provenait plus du cou de la chèvre, mais de la queue d'Aliboron ! Il alla ainsi encore un bon bout de chemin, dans la bienheureuse conviction d'arriver bientôt à bon port. Mais une abeille entêtée, convaincue qu'elle lui tournerait autour de la tête jusqu'à la fin des temps, le fit se retourner pour la chasser. Ô horreur ! Que vit-il ? Ou plutôt, que ne vit-il plus ? Sa chèvre, la biquette, la commère à barbichette – elle n'était plus là ! Le paysan descendit alors de sa monture pour s'enquérir auprès de tous les passants si l'un d'eux n'avait pas vu sa chèvre en route, ne fût-ce qu'un bout de corne, de sabot ?

Alors, le deuxième coquin, qui suivait de loin avec la plus grande attention le comportement de sa future victime, s'approcha en se mêlant aux piétons, et s'adressa au paysan : « Que je ne sois pas le fils de mon père, si je ne viens pas de voir après ce tournant un homme qui fuyait en tirant une chèvre après lui ! »

En entendant cela, le paysan fourra vite le bout du licou de son âne dans les mains du gredin, et s'écria : « Garde-moi cette bête un instant, le temps que j'aille récupérer mon bien avant qu'il ne soit trop tard ! »

« Bien volontiers », voulut répondre le polisson, mais il n'y avait plus personne à qui répondre. Du paysan, il ne voyait déjà plus que les talons soulevant la poussière de la route. Le pauvre, il courait, courait à perdre haleine – et ce n'est qu'après l'avoir complètement perdue qu'il s'arrêta. N'ayant ni vu ni entendu chèvre ou voleur, il revint, épuisé, vers l'endroit où l'attendait son âne. Mais arrivé là, il constata à son grand dam que son malheur redoublait : point d'âne ni de gardien bénévole, c'était comme si la terre les eût avalés !

Les deux malandrins étaient déjà depuis longtemps à l'abri, en se réjouissant de leur butin.
Le troisième, lui, attendait son tour d'intervenir.
Il avait pris place au bord d'un étang, à un endroit où le paysan devait forcément passer pour atteindre la ville. Lorsqu'il entendit s'approcher le malheureux, volé deux fois, le fieffé coquin se mit à pousser des lamentations telles qu'elles firent oublier

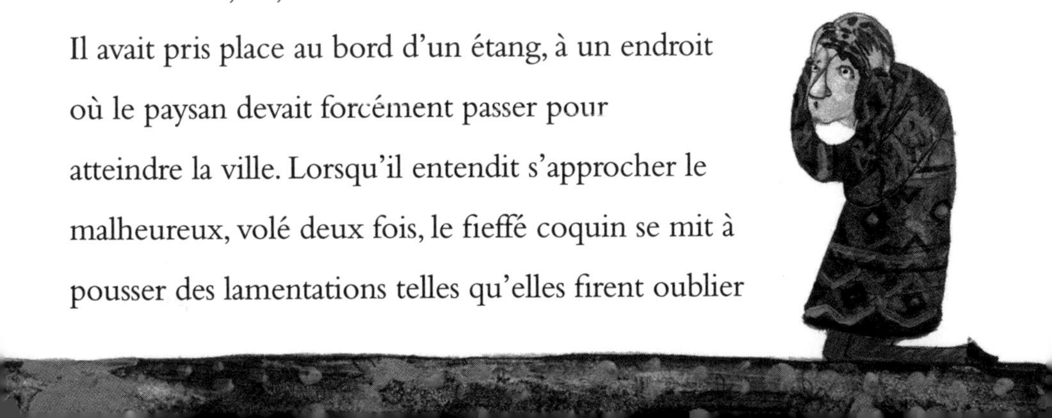

à l'arrivant son propre malheur. Plein de curiosité compatissante, le paysan s'approcha de cet homme affligé qui, la tête dans les mains, semblait pleurer à chaudes larmes. Il lui demanda ce qui lui arrivait, et quand l'autre leva la tête vers lui, il lui dit :

– Ne te désespère pas ainsi, mon ami. Regarde-moi ! Personne au monde ne peut être plus malheureux. Je viens juste à l'instant de perdre ma chèvre et mon âne. Un beau jour, pourtant, ils m'auraient enrichi plus que mon petit lopin de terre.

– Hélas, comme elle est mince, ta perte, en comparaison de la mienne ! s'écria le voleur en puissance, tout en pleurant. Je viens de laisser tomber dans ce maudit étang un coffret contenant des diamants que je devais aller porter au gouverneur lui-même. Qu'est-ce qui m'attend, maintenant ? Pour cette perte, je vais sûrement être condamné à la potence !

– Mais pourquoi ne tentes-tu pas de récupérer le coffret ? L'étang n'est pas trop profond, il me semble ? interrogea le paysan.

– Je préfère encore la perspective d'être pendu à la perspective d'être noyé ! Je ne sais pas nager, mon ami, et j'ai encore plus peur de

l'eau que du bourreau. Mais si quelqu'un voulait m'aider à repêcher ce coffret, je n'hésiterais pas à payer ce service dix écus d'or, crois-moi !

Le paysan, en entendant ces mots, entreprit d'abord de remercier le Prophète d'avoir mis sur son chemin le hasard qui devait lui faire récupérer ses pertes, et il dit :

– Si tu me promets de payer vraiment ces dix écus d'or dont tu parles, je le trouverai, ton coffret, dussé-je aller le chercher dans les entrailles de la terre !

Sans hésiter, il se dépouilla de ses vêtements dont il fit un tas près du gredin, et se jeta à l'eau plus lestement qu'une anguille. Le voleur vit bien qu'il devrait agir vite pour perpétrer son forfait, mais il y parvint fort bien. Lorsqu'après avoir en vain cherché dans le fond de l'étang, le paysan refit surface pour respirer, il n'en crut pas ses yeux, et frissonna de terreur plus encore que de froid.
Le voyageur avait disparu comme vapeur au soleil, et avec lui, le petit tas de vêtements.

C'est ainsi que les trois malandrins avaient tenu leur pari, et que le troisième avait mis le comble à la détresse du malheureux paysan trop naïf. L'ancien possesseur d'une chèvre, d'un âne et de vêtements convenables se trouvait maintenant dépouillé de tout – et nu comme un ver. C'est en se dissimulant dans les buissons qu'il se hâta vers le premier hameau…

Les Œufs de jument

conte illustré par Estelle Chandelier

Par un beau matin de printemps, un paysan planta dans son jardin des graines de melon. Son voisin, qui l'épiait par-dessus la haie, hocha la tête d'un air dubitatif : « Des graines de melon ? Il est fou ! se dit-il. Jamais je n'ai entendu dire que les melons poussent dans nos contrées ! »

Mais au grand étonnement de tous, les graines poussèrent et donnèrent de magnifiques melons, gros comme des tonneaux !

Le paysan les chargea sur une charrette et partit les vendre au marché. En chemin, il croisa une voiture à cheval que conduisait un riche paysan. Certes, ses poches regorgeaient de pièces d'or, mais il avait autant de jugeote que quinze idiots réunis. Il s'arrêta et regarda les melons d'un air ahuri.

– Dis-moi, mon brave, qu'est-ce que tu as là dans ta charrette ?

« Eh, eh, ce bêta ne sait même pas ce que c'est qu'un melon ! Voilà une belle aubaine ! » se dit le paysan. Et il répondit :

– Des œufs de jument !

– Quoi ? Les juments pondent des œufs ? Je n'ai jamais entendu dire cela !

– Oh, mais c'est très rare ! Les œufs de jument donnent les meilleurs poulains du monde. Mais ça n'est pas si simple. Il faut savoir s'y prendre, sinon les œufs n'éclosent pas.

– Eh bien, dis-moi comment, ne me fais pas languir ! s'exclama le riche paysan.

– Ah, mais on ne livre pas un secret comme ça ! Achète-moi d'abord les œufs !

Le paysan n'hésita pas une seconde : il sortit une poignée de pièces d'or qu'il tendit à l'autre. Il avait là de quoi acheter au moins une vache ! Alors, celui-ci pointa un doigt vers la forêt :

– Bon, écoute bien : tu vas monter au faîte d'un arbre aussi gros que celui-là. Puis tu t'assiéras sur les œufs et tu les couveras jusqu'à ce que les poulains éclosent. Mais pendant ce temps, il ne faudra jamais les quitter, car ils refroidiraient et tu te serais donné tout ce mal pour rien !

Le paysan prit délicatement les œufs dans ses bras, fit demi-tour et rentra chez lui. Par la fenêtre, il cria à sa femme :

– Femme, apporte-moi mon déjeuner au sommet du plus haut chêne de la forêt ! J'ai une affaire importante à régler là-haut. Mais n'en parle à personne, c'est un secret !

Il reprit sa voiture et se mit en route vers la forêt, fouettant

ses chevaux avec impatience. Arrivé au pied du chêne, il se demanda comment il allait s'y prendre pour grimper jusqu'au faîte. Voilà qui était beaucoup moins drôle ! Au prix d'un énorme effort, il monta au sommet du chêne et redescendit plusieurs fois, et il peinait tellement avec son gros ventre, que la sueur ruisselait sur son visage. Enfin, ayant monté tous les melons un par un, il les installa sur une branche en forme de fourche. Soufflant et gémissant, il s'assit enfin sur les œufs. La position n'était pas très confortable, mais enfin, le plus dur était fait !

À l'heure dite, sa femme lui apporta son déjeuner. Le paysan mangea avec grand appétit ; il aurait même mangé davantage : après tout, il travaillait en plein air !

– Dételle les chevaux et ramène-les à la maison, ordonna-t-il ensuite. Je n'ai plus besoin d'eux. Et toi, femme, tu verras bientôt les résultats extraordinaires du travail que je suis en train de faire. Ah, encore une chose : ne sois pas en retard pour m'apporter le petit déjeuner, le déjeuner et le dîner ! Dans quelques jours, tu comprendras pourquoi je n'ai pas le temps de rentrer à la maison.

Pendant trois jours, sa femme lui apporta à manger, sans broncher.

Mais le quatrième jour, elle oublia. Là-haut, au faîte du chêne, le couveur commençait à avoir des crampes d'estomac, car la faim le tenaillait.

« Ah, cette femme ! » ronchonna-t-il en s'adressant à un coucou qui s'était posé à côté de lui. « Je suis là en train de couver des poulains extraordinaires, et elle ne lève même pas le petit doigt pour m'aider ! »

Le coucou chanta : « coucou ! », ce qui encouragea le paysan à reprendre ses jérémiades : « Attends un peu que je rentre à la maison, et elle va voir ! »

Et comme en maugréant ainsi, il faisait de grands gestes, les branches se rompirent et il tomba à terre avec ses melons.

Un petit lapin qui était assis au pied de l'arbre s'enfuit en courant, effrayé.

Le paysan le vit s'enfuir, et il crut qu'un poulain venait d'éclore prématurément : « Attends, attends ! cria-t-il. Reviens tout de suite ! » Mais plus il criait et plus le lapin courait vite. Il fut bientôt hors de vue. Le paysan regarda, dépité, les melons qui gisaient au pied de l'arbre, éclatés. Il eut un geste d'impuissance et rentra chez lui.

À peine arrivé sur le pas de la porte, il commença à crier : « Comment as-tu pu oublier de m'apporter à manger ? C'est incroyable ! Eh bien, si tu veux le savoir, j'étais en train de couver des œufs de jument, et j'avais tellement faim que je suis prudemment descendu de l'arbre pour aller cueillir des mûres. Alors, les branches se sont cassées et je suis tombé, et les œufs aussi. À ce moment, un poulain, pas plus gros qu'un lapin, est sorti d'un œuf et s'est enfui si vite que je n'ai pas pu le rattraper. Si je l'avais couvé jusqu'au bout, il serait certainement devenu un magnifique cheval de course, bien plus rapide que les pur-sang arabes du Prince ! Eh oui, femme, tout cela est de ta faute ! Pour ta punition, va atteler les chevaux, tête de linotte ! ».

La Fontaine ensorcelée

conte illustré par Laurence Schluth

Il était une fois un joueur de cornemuse qui s'en revenait de guerre de fort belle humeur, car son armée avait remporté la victoire. Il jouait tout en marchant pour se donner du courage, les pans de son kilt claquant au vent, tandis que les habitants des villages qu'il traversait le saluaient joyeusement de la main.

Or, en arrivant dans un village, il aperçut, assise sur un banc devant une chaumière, une jeune fille si belle que son cœur s'arrêta de battre pendant quelques secondes. Elle avait les cheveux d'un noir de jais, son teint était plus blanc que le plumage du cygne, et ses yeux étaient transparents comme de l'eau.

Jacob la regarda, émerveillé, et elle lui sourit. Le soldat alla droit à l'auberge.

– Qui est la beauté aux cheveux de jais qui habite à l'entrée du village ? demanda-t-il à l'aubergiste, sans même s'asseoir à une table.

– Elle te plaît, n'est-ce pas ? repartit ce dernier. C'est Marie,

la fille du tisserand. Elle souffre d'un mal étrange : cela fait plusieurs années qu'elle n'a pas prononcé un seul mot. Si après cela tu t'intéresses toujours à elle, va trouver son père.

– J'y vais de ce pas, car elle est belle comme une image ! fit Jacob sans trop réfléchir, et il quitta les lieux sans plus de façon.

Marie était en effet muette depuis plusieurs années. Un jour, elle était partie se promener dans les bois et, depuis son retour, elle n'avait plus jamais dit un seul mot. Bien que très surpris par ce récit, Jacob demanda néanmoins la main de la jeune fille.

– Après tout, il vaut mieux qu'elle se taise plutôt que de passer son temps à raconter des commérages, observa-t-il.

Et comme la jeune fille n'était pas non plus indifférente au charme du joueur de cornemuse, le mariage eut bientôt lieu.

Avec les économies de Jacob, qui avait gardé l'argent de sa solde, ils purent acheter un troupeau de moutons et même quelques têtes de bétail, notamment un superbe taureau noir, et la ferme continua de prospérer, même après la mort du vieux tisserand.

Jacob était très épris de sa femme : elle souriait toujours, travaillait dur et, le soir, écoutait volontiers ses récits de batailles. Bref, on ne trouvait rien à lui reprocher.

Pourtant, au bout d'un certain temps, le soldat commença à regretter qu'elle ne pût lui répondre. Comme il aurait aimé entendre le son de sa voix ! Mais il semblait qu'il n'y eût rien à faire…

Un soir, un voyageur frappa à leur porte pour demander à passer la nuit sous leur toit. Jacob lui donna aussitôt à boire et à manger, trop heureux d'avoir enfin quelqu'un à qui parler.

Ils bavardèrent tard dans la nuit, et lorsque Jacob évoqua le mutisme de Marie, le voyageur lui donna le conseil suivant :

– Il y a une vieille femme qui vit dans la montagne et qui pourrait aider ton épouse. Certains la prennent pour une sorcière parce qu'elle connaît les herbes, mais de toute façon, tu n'as rien à craindre d'elle.

Le cœur plein d'espoir, Jacob et Marie se mirent en route dès le lendemain matin.

Or, au lieu de l'horrible harpie qu'ils s'attendaient à trouver, ils furent accueillis par une vieille femme souriante aux joues ridées

comme une vieille pomme. Pendant un long moment, elle et Marie se montrèrent un tas de choses en gesticulant, allant jusqu'à faire des dessins sur une feuille de papier. Enfin, la vieille femme dit à Jacob :

– Ton épouse a été ensorcelée par un esprit des eaux. Elle a bu à sa fontaine, et surtout, lorsqu'elle s'est penchée, le peigne qui tenait ses cheveux est tombé dans l'eau, chassant l'esprit qui y résidait. Alors, ce dernier s'est vengé en la rendant muette.

– Et que peut-on y faire ? demanda Jacob.

– Il suffit que ta femme aille retirer son peigne de la vasque. Mais qu'elle n'en boive surtout pas l'eau, il se pourrait que celle-ci soit encore ensorcelée !

Jacob et Marie remercièrent chaleureusement la vieille femme et se rendirent aussitôt à la fontaine. À peine Marie eut-elle sorti le peigne de l'eau qu'elle retrouva la parole.

– Tu m'entends, Jacob ? Je peux parler, je peux parler ! s'écria-t-elle joyeusement.

Et certes, elle pouvait parler ! Dès lors, elle ne cessa plus de jacasser du matin au soir et du soir au matin ! Au début, Jacob se dit que cela lui passerait vite – la pauvre était restée muette pendant si longtemps ! Mais elle parlait tellement que, ne pouvant même plus dormir, le malheureux époux finit par retourner voir la vieille dame.

Cette dernière l'écouta avec attention, puis demanda à Marie :

– As-tu bu l'eau de cette fontaine ?

– Non, car je savais qu'elle risquait d'être ensorcelée.

– Et as-tu essuyé le peigne avant de le remettre dans tes cheveux ?

– J'ai oublié… avoua Marie.

– Voilà, il n'y a pas à chercher plus loin ! s'exclama la vieille femme. L'esprit des eaux est la créature la plus rouée qui soit ! Mais nous allons lui rendre la monnaie de sa pièce. Tu vas aller à la fontaine et tu lui parleras aussi longtemps que tu pourras. Comme il sera obligé de te répondre, il finira par se lasser. Ne le lâche pas avant qu'il ne t'ait libérée du sort qu'il t'a jeté !

– Ah, pour le lasser, je vais le lasser ! s'écria Marie.

Et elle partit pour la fontaine en jacassant, suivie de Jacob. Une fois arrivée, elle appela :

– Esprit des eaux, je suis là, je suis là ! Viens, nous allons parler un peu !

– Parler un peu… grommela une voix en écho.

Alors, Marie s'assit sur une souche d'arbre et se mit à jacasser sans interruption. Au bout d'un moment, n'y tenant plus, Jacob la planta là et rentra chez lui.

« Elle se débrouillera très bien toute seule », se dit-il.

Et en effet, quand il retourna à la fontaine, le soir, il entendit de loin l'esprit des eaux qui implorait :

– Arrête ce bavardage, je t'en supplie ! Je te libère de ton sort, mais va-t'en, par pitié !

Jacob et Marie s'en retournèrent donc au village. Cependant, au moment où ils arrivaient en vue de leur maison, ils entendirent un martèlement de sabots derrière eux. Ils se retournèrent et virent un cheval qui les poursuivait, l'écume aux lèvres, les naseaux crachant du feu.

– Vite, Marie, mettons-nous à l'abri ! cria Jacob. C'est l'esprit des eaux qui s'est métamorphosé en cheval pour nous rattraper !

S'engouffrant dans la cour, ils se hâtèrent de refermer la barrière derrière eux. Mais déjà le cheval arrivait et se mettait à ruer rageusement contre celle-ci, faisant voler les planches en éclats.

– Attends un peu, tu ne vas pas insister longtemps ! murmura Jacob entre ses dents et en regardant le cheval.

Et il se hâta d'aller chercher le taureau noir. L'animal grogna, baissa la tête d'un air belliqueux et chargea. Le cheval n'attendit pas son reste ! Faisant demi-tour, il s'enfuit au galop en direction de la mer, suivi du taureau furieux. Ils disparurent à l'horizon, et on ne les revit jamais. Tandis que Jacob restait devant la porte pour s'assurer que l'esprit des eaux ne revenait pas, Marie l'appela par la fenêtre :

–Viens te coucher, mon ami. Je suis épuisée d'avoir tant parlé !

Alors, l'ancien soldat alla jouir d'un repos bien mérité aux côtés de sa merveilleuse épouse, qui n'était plus ni trop bavarde ni muette, mais disait juste ce qu'il fallait.

Les Trolls et le festin nuptial

conte illustré par Sébastien Chebret

Il y a cela si longtemps que personne ne s'en souvient peut-être plus, vivaient dans les montagnes rocheuses d'étranges nains : les trolls. De la taille de jeunes écoliers, ils ne se différenciaient aucunement des hommes, si ce n'est par leur long nez et leur peau basanée.

Les trolls portaient de larges pantalons flottants sur lesquels tombaient les pans d'une veste rouge aux grands boutons de cuir. Leur tête était couverte d'un bonnet à pompon qu'ils troquaient parfois contre un large chapeau magique : dès qu'un troll coiffait ce chapeau, il devenait invisible.

Ils vivaient en paix avec les hommes, les secondant même à l'occasion. Mais quelquefois, ils étaient pris d'une faim soudaine, une véritable boulimie : dans ces moments-là, ils mettaient leur chapeau magique et se glissaient dans les garde-manger ou dans les caves où se trouvaient les réserves de nourriture. Personne ne pouvant les voir,

ils festoyaient en toute tranquillité, vidant étagères et tonneaux. Ces visites laissaient généralement dans les maisons un beau désordre !

Pour se préserver d'un tel pillage, les ménagères devaient marquer du signe de la croix chaque aliment. Alors, les trolls n'y touchaient point.

Un jour, un jeune homme, je crois qu'il se nommait Swen, vint s'allonger après son travail à l'orée du bois et s'endormit. Bientôt, il fut réveillé par des voix sortant des fourrés voisins.

– N'as-tu pas vu mon chapeau ? demandait l'une.

– Si tu ne le trouves pas, prends celui de grand-père, conseillait une autre. Cela ne fait rien s'il est trop grand pour toi ; seulement, dépêche-toi, le mariage a certainement déjà commencé !

Ce sont sans doute des trolls, pensa Swen. Le maire de la commune marie sa fille aujourd'hui, et c'est pour cela qu'ils mettent leurs chapeaux : ils se réjouissent déjà à l'idée d'aller dérober la nourriture dans les assiettes des invités.

Bien que les trolls fussent invisibles, le jeune homme entendit parfaitement le bruit de leurs pas se hâtant vers le village, directement chez le bourgmestre. Il s'apprêtait à les suivre, lorsqu'il aperçut dans les branches quelque chose de noir : c'était le chapeau qu'un des trolls avait vainement cherché. Le jeune homme le prit et se rendit lui aussi à la ferme du maire. L'orchestre jouait déjà, et les invités festoyaient joyeusement.

Prenant place auprès des mariés, en bout de table, les trolls commencèrent à manger avec une telle voracité que la maîtresse de maison ne parvenait plus à changer les plats vides. Les invités jetaient vers le jeune couple des regards étonnés :

« Sapristi, chuchotaient-ils, les mariés ont dû jeuner toute la semaine ! Regardez à quelle vitesse les mets disparaissent ! »

Swen, qui assistait à ce spectacle, ne put s'empêcher de sourire en entendant ces propos. S'approchant alors du maire, il lui remit discrètement le chapeau des nains en lui soufflant à l'oreille :

« Monsieur le Maire, mettez ce chapeau sur votre tête, et vous verrez quels hôtes inattendus se sont joints à vous ! »

Obéissant au jeune homme, le maire coiffa le chapeau et aperçut alors aux côtés des mariés deux trolls avalant goulûment les

mets délicats. Il allait les chasser, lorsque Swen l'arrêta. Il ne fallait pas fâcher les petits hommes. Mieux valait user d'astuce. Et il lui murmura quelques mots.

Ensuite, le garçon sortit de la maison par la porte de derrière, tandis que le bourgmestre, toujours coiffé du chapeau, reprenait sa place. D'autres invités avaient, eux aussi, la tête couverte.

Un instant après, Swen entra précipitamment dans la pièce et annonça, haletant :

« Bonnes gens, voici le comte en personne qui arrive pour féliciter les mariés ! »

Le silence se fit aussitôt, et le maire dit d'une voix solennelle :

« Chers enfants ! Chers amis ! Cette visite de notre seigneur est pour nous un grand honneur. Recevons-le dignement. Ayez donc l'obligeance de vous lever et de vous découvrir. »

Donnant lui-même l'exemple, il ôta son chapeau de troll.

Les invités en firent autant. Quant aux nains, impressionnés, eux aussi, ils bondirent sur leurs pieds et enlevèrent leurs larges chapeaux. C'était le piège. À peine se furent-ils découverts, en effet,

que les invités les aperçurent et comprirent pourquoi les plats servis aux mariés étaient si vite engloutis. Alors, avec de grands éclats de rire, ils chassèrent les trolls de la table. Mais la maîtresse de maison, bienveillante, les rejoignit dans le couloir, tenant la marmite de purée, pour en remplir leurs grands chapeaux : on n'avait encore jamais vu quelqu'un quitter un repas de noces les mains vides !

Les trolls ne s'offusquèrent pas : c'est que la purée est leur mets préféré ! Ils s'inclinèrent, pleins de reconnaissance, devant la maîtresse de maison et lui dirent en chœur :

« Ma foi, nous allons nous régaler ! Nous vous remercions de tout cœur ! »

Les gens de la noce, finalement, ne virent pas le comte, mais cela ne les empêcha pas de festoyer, de chanter, de danser et de s'amuser jusqu'au petit matin.

Le Pauvre Homme qui n'avait qu'une vache et qu'un vieux bouc

conte illustré par Laura Guéry

Dans un village, vivait un pauvre bonhomme qui s'appelait Foma. Sa maison était toute démolie, il n'avait pas de champ et possédait, en tout et pour tout, une vache et un vieux bouc. Et la vache mangea du trèfle gâté, enfla et, le lendemain, elle était morte.

Le paysan fut exaspéré :

« Quelle maudite vie est la mienne ! » Mais il n'y avait plus rien à faire. Il écorcha sa Blanchette et s'en alla en ville pour en vendre la peau au corroyeur.

Sur le soir, il se trouva auprès d'une maison isolée. C'était un riche domaine. Le bonhomme regarda par la fenêtre, et qu'est-ce qu'il vit ? Il y avait là la fermière et une douzaine de commères, et elles festoyaient comme des châtelaines. Des oies rôties, des bouteilles de vodka ! Foma avant grand-faim, aussi, il tapa à la fenêtre. Mais la fermière le chassa :

– Retourne chez toi et dors où tu veux ! Tu n'as rien à faire ici !

Comme elle disait cela, une voiture arriva sur la route. Et la fermière devint pâle comme une morte :

– Seigneur ! Nous voilà bien ! C'est le maître qui revient de la ville. Je pensais qu'il y passerait la nuit, et le voilà déjà. Quand il va voir notre festin, qu'est-ce que je vais prendre !

Foma rassura la fermière :

– Ne te tracasse pas, patronne, pour cinquante roubles, j'arrangerai tout.

Et il se mit aussitôt à l'œuvre : les oies dans le four, la vodka dans le placard, les bonnes femmes au grenier.

Il avait à peine fini que le fermier était à la porte et demandait ce qui arrivait. Et Foma se mit à lui expliquer qu'il était en train de discuter avec sa femme, à qui il demandait l'hospitalité pour la nuit, mais qu'elle ne voulait pas l'accueillir parce qu'il n'était pas là.

– Elle a bien fait, dit le fermier, mais maintenant, je suis là, alors, entre, mon brave. Tu dormiras dans le four.

Foma entra dans la salle, portant sa peau de vache avec lui.

– Qu'est-ce que tu as là ? demanda le fermier. C'est une peau de vache, non ?

– Comment, une peau de vache ! répondit Foma en riant. C'est le magicien Blanchette.

– Le magicien Blanchette ? Le fermier haussa les épaules. Et il sait faire quels tours de magie ?

– Toutes sortes de choses.

– Alors, qu'il m'apporte quelque chose de bon à manger, reprit le fermier en riant. J'ai une faim de loup.

– C'est un jeu d'enfant, répondit Foma.

Il prit la peau par la queue et l'approcha de son oreille, comme s'il écoutait quelque chose, et déclara ensuite :

– Le magicien Blanchette a apporté quelque chose dans le four.

– Je suis curieux de voir ça ! dit le fermier.

Il alla au four et en sortit une oie, puis une autre, et toutes enfin.

Le fermier s'attaqua au repas et Foma ne se fit pas prier pour l'imiter.

– En voilà des affaires ! En voilà des affaires ! répétait le fermier, la bouche pleine. Est-ce que, par hasard, ton magicien ne pourrait pas nous apporter une bouteille de quelque chose pour nous réchauffer ?

Le bonhomme Foma écouta encore sa peau de vache qui lui indiqua qu'il y avait de la vodka dans le placard.

– Qui aurait pu imaginer cela ? s'étonna le fermier quand il trouva effectivement de la vodka dans le placard.

Quand ils eurent bien bu et mangé, le fermier demanda :

– Eh bien ! maintenant que ton sorcier me dise s'il y a chez moi quelque chose que je ne sais pas.

Foma mit, cette fois encore, la queue de vache dans son oreille et déclara :

– Il y a une troupe de sorcières dans le grenier.

– Quoi ? s'exclama le fermier, épouvanté.

– C'est comme ça ! Allons voir.

Le fermier n'en avait aucune envie, cela va de soi, aussi Foma lui fit la promesse de chasser les sorcières du grenier et lui enjoignit de rester dans la salle à les guetter. Et il monta au grenier.

Au grenier, les bonnes femmes, toutes recroquevillées autour de la cheminée, attendaient de voir ce qui allait se passer.

– Bon ! Tout va bien, leur dit Foma. Vous n'avez plus qu'à vous sauver rapidement sans jeter un regard en arrière, quoi qu'il arrive.

Tout en disant cela, il prit de la suie dans la cheminée et en barbouilla le visage des femmes.

Le fermier était aux aguets dans la salle, et il vit débouler de l'escalier une troupe de femmes au visage tout noir, dans lequel on ne voyait que les yeux brillants, horribles à voir. Elles se précipitèrent dehors.

– Pouah ! fit le fermier, mais il faut que tu me vendes ce magicien.

– Comment ? protesta le bonhomme. Pour ces tours-là, je veux cinquante roubles, mais je ne vends pas le sorcier.

Le fermier lui donna cinquante roubles et argumenta si longtemps qu'à la fin, il le convainquit et que Foma lui céda la peau de vache pour deux cents roubles.

– Mais tout d'abord, il faut que le magicien Blanchette s'habitue à toi, expliqua Foma au fermier. Tu dois dormir deux nuits sur lui.

Le fermier se coucha sur la peau de vache, Foma sur le four, et

le lendemain matin, il s'en retourna joyeusement chez lui. Il acheta de la vodka, des concombres et des harengs, s'assit sur le pas de la porte et se mit à manger. Vint à passer le bailli, et il dit :

– Eh bien ! eh bien ! Ta vache est crevée hier et tu te goinfres comme si tu avais hérité d'une ferme !

– Je n'ai pas hérité d'une ferme, répondit Foma, mais j'ai vendu la peau de ma vache pour trois cents roubles.

– Trois cents roubles ! s'étonna le bailli. À ce prix-là, on pourrait presque avoir un troupeau de vaches.

– Sans doute que les prix des peaux sont en hausse, répondit Foma ; il but un coup de vodka et fit tomber de sa poche une poignée de pièces d'or.

– Et qui donc t'a donné une telle somme pour cette peau ? s'informa le bailli.

– Mais un fermier, là-bas, répondit Foma.

Le bailli n'ajouta rien et retourna chez lui. Il tua ses dix vaches, les dépouilla et alla trouver le fermier.

Le lendemain, juste à midi, le bailli bondit dans la salle chez Foma et se mit à l'invectiver. Le fermier l'avait expulsé, lui et ses peaux, avait lâché ses chiens sur lui et l'avait traité d'imposteur et de coquin éhonté.

– Bah ! je n'y peux rien, dit craintivement le bonhomme. À moi, le fermier a donné trois cents roubles pour une peau, vous, il vous a jeté dehors. C'est son affaire, ce n'est pas la mienne. Mais à présent, il faut que je traie mon bouc.

– Traire ton bouc ? répéta le bailli stupéfait, et il regarda ce que faisait Foma.

Celui-ci entra dans l'étable, fit sortir le bouc, lui glissa, sans se faire voir, un rouble d'or dans la gueule, puis lui asséna un grand coup de bâton. Le bouc fit un bond, bêla, et la pièce d'or tomba par terre. Le bonhomme la ramassa, la mit dans sa poche et reconduisit le bouc dans l'étable.

– En voilà, une autre histoire ! s'exclama le bailli. Et ton bouc crache comme ça une pièce d'or tous les jours ?

– Tous les jours. On verra bien ce que ça durera.

– Vends-moi ton bouc, proposa le bailli, ça me dédommagera de mes pertes avec mes vaches.

Le bonhomme ne voulait pas, mais à la fin, il se laissa convaincre et vendit au bailli son bouc pour pas cher, vraiment pour rien, pour dix roubles.

Le jour suivant, à midi, le bailli était encore chez Foma et hurlait que le bouc ne donnait plus de pièces d'or.

– J'avais bien dit que, vraisemblablement, ça n'allait pas durer longtemps, répondit Foma en riant, mais il ne voulut pas reprendre son bouc. Mais il proposa au bailli une nouvelle affaire.

– Entrer encore dans tes combinaisons, se récria le bailli, rien à faire ! Tu m'as déjà dupé deux fois, tu n'y arriveras pas une troisième !

Et il ordonna à ses gens de se saisir de Foma, de le ficeler dans un sac et de le noyer dans la rivière. Déjà, ils avaient amené le bonhomme dans son sac sur la rive, quand il se mit à geindre :

– Hélas ! bons chrétiens, allez au moins à l'église prier pour le salut de mon âme immortelle avant de me noyer !

– Prier, ça se doit, opina le bailli.

Ils laissèrent Foma dans son sac sur la rive et s'en furent à l'église. Et le bonhomme continua à brailler dans son sac comme si on l'avait égorgé.

Non loin de là, un berger gardait un troupeau de vaches et il se demanda qui pouvait bien gémir ainsi dans ce sac.

– Hélas ! mon brave homme, gémit Foma. Comment ne pleurerais-je pas ? On veut à toute force me nommer bailli et je ne veux pas en entendre parler. Alors, on m'a ficelé dans ce sac pour que je ne me sauve pas !

– Tu es un fier sot, s'esclaffa le berger. Moi, si on voulait me faire bailli, j'accepterais tout de suite.

– Oui ? Alors, fourre-toi dans le sac à ma place et je vais te ficeler.

Quand les gens du bailli revinrent de l'église, le berger était déjà dans le sac et Foma s'était sauvé en emmenant le troupeau dans un bois de bouleaux voisin.

Les gens jetèrent le sac à la rivière, qui s'en alla doucement au fil de l'eau, et nul ne sait jusqu'où il emporta le berger. Foma rassembla le troupeau de vaches, sortit du bois et s'en fut au village. Le bailli, à sa vue, fut tellement ahuri que pas un mot ne sortir de ses lèvres.

–Voilà ce qu'il en est, lui expliqua le bonhomme. Quand vous m'avez jeté à la rivière, le sac s'est ouvert, et je me suis retrouvé dans une immense prairie où paissaient d'innombrables vaches. J'en ai ramené quelques-unes vers la berge, mais il en reste encore !

Le bailli ne dit rien, il courut à la rivière et plongea dans l'eau, et le bonhomme Foma emmena en hâte ses vaches, traversa le village et alla s'établir ailleurs, on ne sait où : quelque part où on ne le connaissait pas encore !

Le Mari, le démon et le lièvre

conte illustré par Laurence Schluth

Il y a bien, bien longtemps de cela, un pauvre homme vivait dans une cabane avec sa jeune et jolie femme. Riches, ils ne l'étaient certes pas. Toutefois, comme ils s'aimaient profondément, ils étaient heureux.

Mais un démon malfaisant vivait dans la forêt voisine. Depuis longtemps déjà, il convoitait la belle jeune femme. Un jour que le mari était à la chasse, il prit son apparence et entra dans la cabane.

« La chasse ne marche pas, aujourd'hui », annonça-t-il à la paysanne. « J'ai préféré rentrer. »

« Tu as bien fait », répondit celle-ci qui ne se doutait de rien. « Mets-toi à l'aise, le repas va être prêt. »

Mais quand, peu après, son regard tomba sur l'entrée de la paillote, elle faillit mourir de frayeur : son mari se trouvait aussi sur le seuil ! Et les deux hommes, celui de la porte et celui

qui était assis sur une natte dans la pièce, étaient absolument semblables !

« Viens à moi, femme ! » dit l'homme de la porte.

« Ne l'écoute pas et viens à moi ! » ordonna l'autre d'une voix identique, si bien que la pauvre femme ne put même pas savoir en les entendant qui était qui.

« Ah, infortunée que je suis ! Je suis incapable de dire lequel des deux est mon mari ! » gémit-elle, bouleversée. « Mais tant que je n'en aurai pas le cœur net, je ne veux avoir à faire ni à l'un, ni à l'autre ! » Elle fit part de sa décision aux deux hommes et s'enferma dans la chambre.

Son mari était au désespoir, mais le démon n'était pas satisfait non plus du tour que prenaient les choses. Il finit donc par suggérer : « Nous allons sortir et demander au premier que nous rencontrerons de nous départager. Le gagnant reviendra ici, et le perdant disparaîtra à jamais ! »

Bon gré mal gré le mari dut accepter, et ils sortirent. Au bout d'un moment, ils aperçurent un lièvre qui sautillait au milieu du sentier.

« Hé, toi, le lièvre, viens par ici ! » cria le démon. « Nous voulons te prendre pour juge dans une affaire de la plus haute importance. Tu sais certainement que je vis avec ma femme

depuis plusieurs années déjà. Or voilà que ce vagabond, surgi de nulle part, veut se faire passer pour moi ! »

« Pour l'amour du ciel, lièvre, ne crois pas un mot de ce qu'il dit », gémit le mari. « C'est moi qui ai vécu ici jusqu'à ce jour dans le plus parfait bonheur ! »

« Il y a un problème, c'est sûr », reconnut le lièvre. « Et à ce qu'il semble, l'un de vous est forcément un… » Il s'interrompit soudain, comme frappé par une idée, et annonça peu après : si je dois trancher votre litige, il faut d'abord retourner à la maison. »

Sur le chemin du retour, le mari agitait toutes sortes de noires pensées dans sa tête, tandis que le démon souriait d'un air satisfait. Il ne doutait pas un instant de sa victoire : bientôt la belle lui reviendrait !

« Apportez-moi une calebasse ! » ordonna le lièvre dès qu'ils furent dans la cabane. Le mari se précipita dans la chambre. Le démon, qui crut à un piège et pensa que le lièvre voulait simplement savoir lequel des deux connaissait le mieux les lieux, se hâta de le rattraper. Il lui arracha la calebasse des mains et la

rapporta au lièvre.

« Et maintenant, faites très attention ! » commanda l'animal d'une voix solennelle, tout à fait comme s'ils comparaissaient devant un petit tribunal. « Celui de vous deux qui sera capable de se faire assez petit pour entrer dans cette calebasse, je le tiendrai pour le vrai mari qui aime cette femme ! »

L'homme courba la tête et versa des larmes amères. « Jamais, jamais je ne pourrai faire une chose pareille ! » sanglota-t-il.

Le démon, lui, clama d'une voix triomphante : « Pour moi, ce sera un jeu d'enfant ! »

« Vraiment ? » répliqua le lièvre. « Facile à dire, mais peux-tu le faire ? »

« Et comment ! » ricana le démon, fier de ses pouvoirs. Il se fit de plus en plus petit, jusqu'au moment où il put effectivement se glisser dans la calebasse. Alors le lièvre, sans perdre une seconde, boucha la bouteille.

« Espèce d'idiot ! » cria-t-il. « Depuis quand un simple mortel est-il capable de se rapetisser ? Seul un démon est capable d'une telle prouesse. Et tu t'es mis toi-même dans la prison que tu mérites, pour ta fausseté ! »

Là-dessus, le lièvre plaça la calebasse entre les mains du mari qui n'en croyait pas ses yeux et s'en alla en sautillant, tout content.

Rois et Princesses

Le Roi aux pieds sales

conte illustré par Emmanuel Chaunu

Il était une fois, dans un royaume très loin d'ici, un roi qui ne se lavait jamais. Aussi sentait-il terriblement mauvais, mais personne n'osait le lui dire car il était le roi. Parfois, le roi partait visiter son royaume avec ses courtisans, ses serviteurs, ses

soldats et ses éléphants. Les gens étaient tellement impressionnés par le faste de sa suite qu'ils ne remarquaient pas la mauvaise odeur, ou alors ils la mettaient sur le compte des éléphants.

Un jour, le roi arriva dans un village qu'il ne connaissait pas. Une petite fille s'approcha de lui pour mettre à son cou une guirlande de fleurs. Le roi lui accorda un sourire royal. La petite fille grimaça en fronçant le nez :

« Pouah ! Tu sens mauvais, dit-elle si fort que tout le monde l'entendit.

– Petite idiote ! Il est notre roi, et notre roi ne sent pas mauvais, s'écria sa mère en la tirant par l'oreille.

– Si ! Il sent mauvais ! insista la petite fille. Tu ne te laves jamais ? demanda-t-elle au roi.

– Et pourquoi me laverais-je ? Te laves-tu ? » demanda-t-il à un courtisan à côté de lui.

Le courtisan dut admettre qu'il se lavait, et même très souvent. Et tous ceux à qui le roi posa cette question répondirent la même chose. Le roi se sentit mal à l'aise.

« Aujourd'hui, déclara-t-il, je me lave. Ici et maintenant, dans cette rivière. »

Il y eut un grand remue-ménage et l'on dressa un paravent dans la rivière pour que le roi puisse se laver en paix. Tout le monde retint sa respiration quand le roi entra dans l'eau. Mais à peine le courant avait-il emporté les premières bulles de savon que le roi commençait à chanter.

« Il faudra que je me baigne plus souvent, dit-il en sortant de l'eau. Peut-être même dès l'an prochain. »

Il se sécha et enfila de magnifiques vêtements propres. C'est alors qu'il remarqua que ses pieds étaient à nouveau sales. Aurait-il pu seulement en être autrement : la berge était couverte de poussière !

Le roi retourna se laver les pieds mais, quand il revint sur la berge, ils étaient à nouveau sales. Il ordonna alors qu'on nettoie la berge, et tout le monde se mit à l'ouvrage. Alors, le roi ressortit de l'eau mais à peine avait-il fait quelques pas que ses pieds étaient encore plus sales qu'avant. Aurait-il pu seulement en être autrement : la berge détrempée était couverte de boue !

Le roi retourna dans l'eau, se lava les pieds et revint sur la rive, et cela plusieurs fois de suite. Et il le ferait encore si une fillette (vous aurez deviné laquelle !) n'était pas allée chercher une belle peau de chèvre pour l'étaler sur le sol devant le roi. Celui-ci sortit de l'eau, fit quelques pas, et ses pieds étaient toujours propres. Mais il était arrivé au bord du tapis, et il aurait souhaité pouvoir visiter ainsi tout son royaume.

« Que l'on couvre mon royaume de tapis, ordonna-t-il. Ainsi, mes pieds seront toujours propres. »

À compter de ce jour, le roi eut toujours les pieds propres, mais personne ne vint plus le saluer quand il arrivait : les gens le regardaient de loin, l'air triste. Un an plus tard, il revint à la rivière pour y prendre un nouveau bain. Personne ne vint l'accueillir, mis à part une fillette (dois-je vous dire laquelle ?).

« Pourquoi les gens ne viennent-ils pas m'accueillir ? Et pourquoi sont-ils si tristes ?

– Ils n'ont rien à manger, répondit la petite fille. Tu as recouvert ton royaume de tapis en cuir et plus rien ne pousse.

– Que faire ? dit le roi en regardant pensivement ses pieds propres. Je ne vais tout de même pas me salir les pieds en marchant !

– Une chance que je fasse marcher ma tête ! » soupira la fillette.

Elle revint quelques instants plus tard avec une paire de ciseaux. Elle découpa le tapis en cuir autour du pied gauche du roi, puis autour du pied droit. Puis, elle lia les petits morceaux de cuir aux pieds du roi avec des lacets de cuir qu'elle noua autour de sa cheville.

« Et voilà, dit-elle. Tu as maintenant tes propres morceaux de cuir aux pieds. Et tes pieds resteront propres où que tu ailles. »

C'est ainsi que fut faite la première paire de chaussures. Et bientôt, dans le royaume, on découpa les tapis en cuir.

Tout le monde eut sa propre paire de chaussures… et les pieds propres.

La Pupille du roi

conte illustré par Pauline Vannier

Il était une fois un roi qui vivait heureux, en son palais, car il était aimé de ses sujets pour la justice avec laquelle il régnait sur le pays. Le roi voisin était son ami et ils se rendaient de fréquentes visites. Or, ce roi voisin était veuf, et il avait une fille unique qu'il aimait par-dessus tout au monde. Mais il advint un jour qu'il se sentit bien malade. Comprenant que sa fin était proche, il fit venir son ami le roi voisin, pour lui parler sur son lit de mort.

Quand son ami fut à son chevet, le roi mourant lui fit ses adieux en lui recommandant sa fille. L'ami promit de la prendre en son palais, comme sa pupille, de gérer ses biens et de lui trouver plus tard un bon mari. Et quand le roi rendit l'âme, l'ami emmena l'orpheline en son palais, et l'éleva avec ses trois fils qui aimaient beaucoup cette jeune et jolie personne.

Un jour, à l'occasion de son anniversaire, le roi annonça à chacun de ses fils qu'il pouvait faire un souhait. Dans la mesure du possible, il l'exaucerait. L'aîné des fils se présenta le premier, souhaita un heureux anniversaire à son père, et quand le roi lui eut demandé quel souhait il formulait, il répondit : « Père, donnez-moi votre pupille pour femme ! » Cependant, il avait à peine terminé sa phrase que le cadet entrait dans la chambre du roi, souhaitait un bon anniversaire à son père, et lui disait que son seul souhait était d'épouser sa pupille.

Le roi réfléchit un instant, puis leur dit que ce serait à la princesse de décider lequel elle choisirait pour époux.

Là-dessus, le plus jeune des trois frères fit son entrée, souhaita un heureux anniversaire à son père, et ajouta : « Père, laissez-moi épouser votre pupille, car c'est mon unique souhait. » Le roi poussa un soupir, et dit : « Mes enfants, la princesse ne peut prendre qu'un seul mari, et non pas trois. Allez donc parcourir le monde durant un an, et celui d'entre vous qui rapportera le cadeau le plus estimable aura la main de la princesse. »

Les trois princes firent donc seller leurs chevaux et firent leurs adieux à leur père, qui les munit d'argent et de bijoux. Avant de se séparer, les trois frères convinrent de se retrouver sous le gros chêne qui se trouvait à la limite des territoires du royaume. Et chacun d'eux prit une direction différente.

L'aîné des princes traversa une trentaine de pays et rencontra de nombreuses aventures, jusqu'à ce qu'enfin il réussît à obtenir – non sans peine – un miroir magique. C'est un roi qui le lui avait donné. Le miroir avait le pouvoir de faire apparaître la personne à laquelle on pensait, telle qu'elle était en ce moment précis. Dès qu'il fut en possession du miroir, le prince y regarda, et il vit son père et sa pupille assis ensemble et conversant, tandis que la princesse brodait.

Le second prince avait aussi voyagé fort loin, dans des pays étrangers. Il avait eu la chance de sauver la vie à un seigneur de haute naissance. En récompense, il avait reçu un tapis magique. Quiconque s'asseyait dessus et désirait se trouver quelque part, y était transporté instantanément.

Le plus jeune des princes avait lui aussi traversé bien des pays, mais malgré tous ses efforts, il n'avait rien trouvé qui valût la peine d'être rapporté à son père. Découragé, abattu à l'idée de son infortune, il fit faire demi-tour à son cheval, pour être à temps au rendez-vous sous le gros chêne. Il chevauchait la tête basse, le cœur lourd de rentrer les mains vides, quand une vieille femme l'arrêta pour lui demander l'aumône. Pris de pitié, il lui donna tout l'argent qui lui restait dans sa bourse.

« Merci, lui dit la vieille. Tu as un bon cœur, jeune homme. Mais je vois que ce cœur est lourd de chagrin. Regarde, prends cette pomme, et garde-la bien, car elle a un pouvoir magique. Quiconque en mord une bouchée recouvre immédiatement la santé, fût-ce une personne à deux doigts de la mort. » Le prince était tout heureux de recevoir quelque chose de valable à montrer à son père. Il leva les yeux pour remercier la vieille, mais elle avait déjà disparu.

Le prince fit trotter son cheval, mais quand il arriva sous le chêne, ses deux frères l'y attendaient déjà. L'aîné montra son miroir magique, mais comme il y regardait, il devint pâle et défait : « Hélas ! mes frères, que vois-je ? Notre père le roi est gravement malade, les docteurs s'affairent autour de lui, et la princesse est toute en larmes à son chevet ! » Le deuxième prince déroula aussitôt son tapis magique en disant à ses deux frères : « Vite, asseyons-nous ici ensemble, il faut nous hâter ! » Et il avait à peine fini sa phrase que les trois frères se

trouvaient sur le seuil de la chambre paternelle. Ils entrèrent ensemble, et le plus jeune des trois princes pria son père de mordre dans la pomme. Aussitôt, le roi était en excellente santé, comme s'il n'avait jamais été malade.

Il serra ses trois fils ensemble sur son cœur, et ordonna un grand festin pour célébrer leur retour et sa guérison miraculeuse.

Ils festoyèrent trois jours entiers, et au matin du quatrième jour, les trois princes se présentèrent devant leur père, en le priant de bien vouloir décider lequel d'entre eux avait rapporté le cadeau le plus estimable, donc lequel avait gagné la main de la princesse. « Mes chers enfants, dit le roi, je ne sais que vous dire. Le miroir magique vous a montré que j'étais malade au point de mourir, et le tapis magique vous a ramenés à temps, mais sans la pomme magique, vous n'auriez pas pu me sauver ! Je crois qu'il me faut vous imposer une nouvelle épreuve. Trouvez-moi une réponse à cette énigme : qu'est-ce qui peut se faire entendre à la plus grande distance ? Réfléchissez jusqu'à demain, et venez me donner votre réponse. Je jugerai équitablement de la meilleure réponse. »

Le lendemain, les trois frères se retrouvaient devant leur père. L'aîné parla en premier lieu : « C'est le coq, dit-il. Le matin, le chant du coq se fait entendre à une très grande distance ! » – « Oui, on l'entend de loin, en effet », dit le roi. « Et toi, mon cadet, qu'as-tu à dire ? » – « C'est le tonnerre, qui se fait entendre de plus loin, mon père », et le roi répondit : « Il est vrai que le tonnerre se fait entendre de plus loin que le chant du coq. » S'adressant alors au plus jeune, il lui demanda : « Et toi, mon benjamin, qu'as-tu à dire ? » Et le prince répondit d'un air résolu : « Je crois qu'une bonne réputation retentit à une très grande distance, mon père. » Et le père s'exclama : « Mais oui, mon fils, une bonne réputation se répand à des milliers de lieues à la ronde, on peut encore l'entendre vanter des siècles après la mort de celui qui l'avait acquise. J'estime que c'est ta réponse la meilleure, et la main de la princesse te revient à juste titre ! »

Les deux aînés ne pouvaient qu'estimer le jugement de leur père équitable. Le mariage fut bientôt célébré, et ensuite, le prince et sa jeune femme (tous ces hommes ne s'étaient pas beaucoup soucié de son goût, dans toute cette affaire, mais par chance c'était le plus jeune

qu'elle préférait), le jeune couple,
donc, regagna les terres dont
la princesse était héritière.
Les deux fils aînés
restèrent auprès de
leur père et quand
le vieux roi mourut,
ils continuèrent
à régner ensemble,
toujours en bon accord,
jusqu'à la fin de
leur vie.

La Princesse au petit pois

conte illustré par Hanoa Silvy

Il y avait une fois un prince qui voulait avoir une princesse, mais elle devait être une vraie princesse. Et il voyagea dans le monde entier pour en trouver une, mais toujours il y avait quelque chose à redire : les princesses ne manquaient pas, mais étaient-elles de vraies princesses, il ne pouvait s'en assurer tout à fait, toujours il y avait quelque chose qui n'était pas comme il fallait. Et il rentra chez lui tout chagrin, car il aurait voulu avoir une véritable princesse.

Un soir, on eut un temps affreux ; éclairs et tonnerre, pluie à torrent, c'était effrayant. On frappa à la porte de la ville, et le vieux roi alla ouvrir.

C'était une princesse qui était dehors. Mais, Dieu, de quoi avait-elle l'air, avec cette pluie et ce vilain temps ! L'eau lui coulait dans les cheveux et sur ses vêtements, elle lui entrait dans le nez et dans les souliers, et sortait par les talons. Elle dit qu'elle était une véritable princesse.

« Bon, c'est ce que nous allons savoir ! » pensa la vieille reine, mais elle ne dit rien, alla dans la chambre à coucher, enleva toute la literie, et déposa un petit pois au fond du lit, puis elle prit vingt matelas, les étendit par-dessus le pois, et mit encore vingt couettes de plumes d'eider par-dessus les matelas.

C'est là que la princesse devait coucher la nuit.

Le matin, on lui demanda comment elle avait dormi.

– Oh, terriblement mal, dit la princesse. Je n'ai presque pas fermé l'œil de toute la nuit ! Dieu sait ce qu'il y avait dans ce lit ? J'ai couché sur quelque chose de dur, et j'en ai le corps tout brun et bleu. C'est terrible !

Alors on put voir que c'était une vraie princesse, puisqu'elle avait senti le petit pois à travers les vingt matelas

et les vingt couettes de plumes. Seule une vraie princesse pouvait avoir la peau si délicate.

Le prince la prit donc pour femme, car il savait maintenant qu'il avait une vraie princesse et le pois fut placé dans le cabinet des objets d'art, où il est encore, si personne ne l'a pris.

Voyez, c'est là une vraie histoire.

Une Fiancée pleine de sagesse

conte illustré par Bruno David

Autrefois, dans un village situé très haut dans la montagne, vivait un homme sage. Il était si sage que des gens traversaient de hauts et lointains sommets pour venir le consulter.

« Pourquoi ne vis-tu pas en bas, dans la ville ? », s'étonnaient certains.

« Plus haut tu te trouves, plus loin tu vois, répondait le vieil homme, en ville, ni moi ni mon fils n'aurions un moment de tranquillité. Ceux qui ont besoin de nous savent bien trouver le chemin de notre demeure. »

Le fils de cet homme sculptait des statues dans la pierre ou le bois. Et ses œuvres étaient très recherchées. Certains acheteurs les emmenaient même aux quatre coins du monde.

« Ta place est au palais du prince, lui disait-on souvent. »

« Trouverais-je autant de bonne pierre dans le palais du prince ? Y aurais-je à ma disposition autant de bois que d'arbres dans la forêt ? Le ciel y est-il aussi pur qu'au-dessus des montagnes ? Mes amis savent où me trouver et je n'ai vraiment pas besoin d'autre chose. »

« Il ne manque ici qu'une jeune femme », soupira néanmoins le vieillard. Et il demanda à l'un de ses amis de chercher de par le monde s'il ne voyait point une jeune fille digne des qualités de son fils.

L'ami chercha dans les villes et les villages. Il visita bien des pays et rencontra bien de belles jeunes filles, mais aucune ne lui sembla rassembler les qualités requises.

Enfin, il arriva dans un pays et à une demeure où il avait déjà fait halte. Tout y était nouveau. La cour était parsemée de fleurs. Des tapis et des nappes somptueuses recouvraient les dalles et les tables. Le voyageur ne pouvait en croire ses yeux. Son enchantement fut à son comble quand il rencontra la jeune fille de la maison. Elle était élancée, vêtue de noir des pieds à la tête et ses yeux brillaient comme des étoiles. Quant à sa voix, elle transformait chacun de ses mots en chanson.

Au bout d'un certain temps, l'homme repartit et s'en alla aussitôt voir son vieil ami.

« J'ai parcouru en vain bien des pays, mais dans le dernier j'ai enfin trouvé la femme qui convient à ton fils », dit-il, et il conta ce qu'il avait vu de ses propres yeux.

« Je pense que tu as bien choisi car tu sais reconnaître la beauté, l'ardeur au travail, l'habileté et l'humilité au premier regard. Mais cette jeune fille est-elle assez sage pour accepter de vivre ici ? Je vais lui envoyer un messager et nous verrons ce qu'elle nous répondra. On juge mieux les gens à leur parole qu'à leur fortune. »

Le vieux sage trouva le messager qui lui convenait. Il lui remit une bourse de cuir contenant douze vieilles pièces d'or. Puis il lui

donna une corbeille où était enveloppé un gâteau fait d'amandes, de noisettes et de raisins secs. Enfin, il lui tendit une cruche de son meilleur vin. À tout cela, le fils ajouta une pierre rare sur laquelle il avait gravé son portait et celui de son père à l'intention de la jeune fille. Avant le départ, le sage dit au messager :

« Transmets nos salutations à cette personne et à son père. Donne-leur l'argent, le gâteau et le vin en leur disant : "Chez nous, dans les montagnes, l'année comporte douze mois, la lune est pleine en ce moment et les fontaines coulent en abondance" »

Le messager traversa montagnes et vallées avant de parvenir dans le pays lointain où il trouva la demeure qu'on lui avait indiquée. Il s'inclina profondément devant la jeune fille et son père avant de leur transmettre salutations et cadeaux. Puis il demanda à la jeune fille si elle accepterait de venir rejoindre le fils du vieux sage qui sculptait si bien la pierre et le bois.

« Voici l'une de ses œuvres. Il y a gravé son portrait et celui de son père. Ce dernier te fait dire que chez nous, dans les montagnes, l'année comporte douze mois, la lune est pleine en ce moment et les fontaines coulent en abondance. »

La jeune fille considéra les cadeaux qui étaient sur la table. Elle ne vit que onze pièces d'or, un gâteau entamé et une cruche presque vide. Sans montrer ce qu'elle pensait, elle promit à son hôte de lui donner bientôt sa réponse et celle de son père.

Au matin, le père dit au messager :

« Transmets nos salutations à nos amis de la montagne et dis-leur que nous accueillerons volontiers ce jeune homme s'il le désire vraiment. »

« Donne-lui également ce foulard, ajouta la fille, et donne cette réponse au père :

"Chez nous, l'année n'a que onze mois, les fontaines sont asséchées et la lune ressemble à une faucille. Mais je lui demande de ne point couper les ailes de la pie." »

Le voyageur hocha la tête en entendant cet étrange message, mais il promit d'en faire part à ceux à qui il s'adressait. Puis il remercia ses hôtes de leur hospitalité et entama le chemin du retour, heureux de s'en être tiré à bon compte.

Il traversa sans encombre monts et vallées avant de rentrer au pays. Au fils, il donna le foulard de soie blanche comme neige sur lequel était brodée l'image d'une jeune fille que ses amies paraient pour sa noce. En le voyant, le garçon rayonna de joie. Il fut plus heureux encore quand il apprit que le père de la jeune fille l'acceptait pour gendre. Quant au vieux sage, il s'assombrit à l'énoncé du message de la jeune fille.

« Comment as-tu osé t'emparer de l'une de mes pièces d'or et nous ridiculiser en ne donnant que la moitié du gâteau et une demi-cruche de vin ? » gronda-t-il à l'intention du messager.

« Si ma future belle-fille ne m'avait pas prié de ne point te punir, je te pendrais sur-le-champ comme un voleur ! »

Le messager se jeta en pleurant aux pieds du vieil homme et s'expliqua :

« En chemin, après avoir franchi tant de montagnes et de vallées sous le soleil ardent, j'ai eu soif comme jamais dans ma vie. Mes provisions étant épuisées, j'ai pensé boire une seule gorgée de ton vin, mais il m'a

tant plu que j'en ai bu la moitié de la cruche. J'ai fait de même pour le gâteau, et je n'ai pu résister à la tentation de prendre pour moi une des pièces d'or. Mais dis-moi cependant comment tu sais tout cela… »

« C'est la jeune fille qui, en me disant que l'année ne comportait que onze mois, m'a indiqué qu'il manquait une de mes douze pièces d'or. De même, en me disant que la lune ressemblait à une faucille, elle m'a indiqué ce qu'il restait de notre gâteau. En m'annonçant que les fontaines tarissaient, elle m'a donné une idée de ce qu'il restait de vin dans la cruche. Enfin, elle m'a prié de ne point te punir de tes forfaits en me demandant de ne point couper les ailes de la pie voleuse que tu es !

As-tu compris ? » demanda le vieux sage avec un sourire.

Le messager confus comprit alors que sa seule punition serait de supporter sa honte devant tout le village.

« Prépare-toi à partir ! ordonna le père à son fils, car cette jeune fille ne se contente pas d'être belle et habile. Elle sait se montrer sage et généreuse. »

Alors, le jeune sculpteur se mit en route. Il traversa sans encombre monts et vallées avant de trouver le pays de celle qu'il avait choisie. En le voyant, si beau sur son cheval, les yeux de la jeune fille brillèrent de bonheur.

Le mariage dura sept jours et sept nuits au cours desquels les invités se rassasièrent de montagnes de gâteaux et de viandes. Ils dansèrent et chantèrent à cœur joie et finirent par accompagner les jeunes mariés un bout de chemin alors qu'ils s'apprêtaient à rejoindre le pays de montagnes où vivait le vieux sage.

Quand ils furent au bout de leur voyage, là-haut, tout près des nuages, ils commencèrent leur vie commune qui fut longue, paisible et heureuse.

Le Costume neuf de l'empereur

conte illustré par Sébastien Chebret

Il y a longtemps, vivait un empereur qui raffolait tellement des beaux costumes neufs qu'il en avait un pour chaque heure du jour et consacrait tout son argent à sa toilette.

Dans la grande ville où il habitait, on s'amusait beaucoup.

Voici qu'un jour, arrivèrent deux escrocs. Ils se donnaient pour tisserands et prétendaient tisser l'étoffe la plus ravissante que

l'on pût imaginer. Non seulement les couleurs et le dessin étaient exceptionnellement beaux, mais les habits taillés dans cette étoffe avaient aussi la propriété merveilleuse d'être invisibles à quiconque ne savait pas remplir sa fonction, ou s'avérait d'une irrémissible bêtise.

« Voilà de charmants habits, se dit l'empereur. En les portant, je pourrai découvrir quels hommes ne savent pas remplir leur fonction dans mon royaume, je pourrai distinguer les gens intelligents des sots ! Oui, tout de suite il faut que l'on me tisse cette étoffe ! »

Et il donna ainsi beaucoup d'argent aux deux escrocs à titre d'arrhes pour qu'ils commencent leur travail.

« Je voudrais bien savoir où ils en sont de leur étoffe », se dit un jour l'empereur.

Mais il jugeait plus prudent d'envoyer auparavant quelqu'un pour s'en informer…

L'empereur délégua en premier lieu son vieux et brave ministre « car il est intelligent, se dit-il dans sa barbe, et que personne ne remplit sa fonction mieux que lui… »

Et le vieux et honnête ministre entra ainsi dans la salle où les deux escrocs travaillaient à leurs métiers vides.

« Je ne vois rien du tout ! » pensa-t-il.

Mais il ne dit rien, de peur qu'on puisse croire qu'il était bête ou remplissait mal sa fonction.

– Ah ! Ce dessin et ces couleurs !… Oui, je dirai à l'empereur que cela me plaît extrêmement !

La même scène se reproduisit avec d'autres émissaires… jusqu'au jour où l'empereur en personne, accompagné de ses courtisans, se rendit dans l'atelier.

« Comment ! se dit l'empereur. Je ne vois rien ! C'est effrayant, suis-je bête ? Ne suis-je pas capable d'être empereur ? Ah ! Il ne pourrait rien m'arriver de plus terrible ! »

– Oh, c'est très beau, fit-il alors, très beau : je donne ma plus haute approbation !

Toute la suite qui l'entourait renchérissait : « Oh, c'est très beau ! Comme c'est beau ! ». Et l'empereur gratifia chacun des deux escrocs d'une croix de chevalier à mettre à sa boutonnière, et du titre d'écuyer-tisserand.

Et c'est ainsi que l'empereur décida qu'il porterait ce nouveau costume lors de la grande procession !

Les préparatifs de l'événement mobilisèrent les deux escrocs pendant plusieurs jours et ils firent comme s'ils ôtaient l'étoffe du métier, ils coupaient l'air avec de grands ciseaux, cousaient avec des aiguilles sans fil… Puis ils déclarèrent enfin :

– Voilà, le costume est terminé ! Votre Majesté impériale veut-elle avoir la bonté de se déshabiller, pour que nous lui mettions l'habit neuf devant ce grand miroir ?

L'empereur ôta alors tous ses vêtements et les escrocs firent simplement les gestes de le vêtir avec des habits d'apparat… qui n'existaient pas !

– Dieu, comme c'est bien pris ! Comme ça convient parfaitement ! dirent-ils tous. Quel dessin ! Quelles couleurs ! En voilà, un précieux habit !

L'empereur s'admirait dans la glace tandis que les chambellans s'apprêtaient, eux, à porter la traîne en marchant, les mains devant, car ils ne voulaient pas que l'on s'aperçût qu'ils ne voyaient rien !

Et c'est ainsi que l'empereur défila dans la procession sous le magnifique dais, tandis que tout le monde, dans la rue et aux fenêtres, disait : « Dieu, comme le nouveau costume de l'empereur est splendide ! Quelle belle traîne il a ! Comme elle est d'un bel effet ! »

Personne ne voulait que l'on s'aperçût qu'on ne voyait rien soi-même. Cela aurait prouvé qu'on ne remplissait pas bien sa fonction, ou qu'on était bête. Et aucun costume de l'empereur n'avait obtenu avant ce jour un tel succès !

– Mais il n'a rien sur lui ! s'exclama soudain un petit enfant.

– Grand Dieu, entendez la voix de l'innocence, dit le père.

Et chacun de chuchoter à son voisin ce que l'enfant avait dit.

– Il n'a rien sur lui ! Un petit enfant dit que l'empereur n'a rien sur lui !

– Il n'a rien sur lui ! Il n'a rien sur lui ! cria finalement tout le peuple.

Alors l'empereur eut un frisson, car il lui semblait bien que ces gens avaient raison. Mais il se disait qu'il lui fallait subir la procession jusqu'au bout, et il prit une allure encore plus fière, et les chambellans marchèrent, tenant la traîne qui n'existait pas…

Créatures fabuleuses

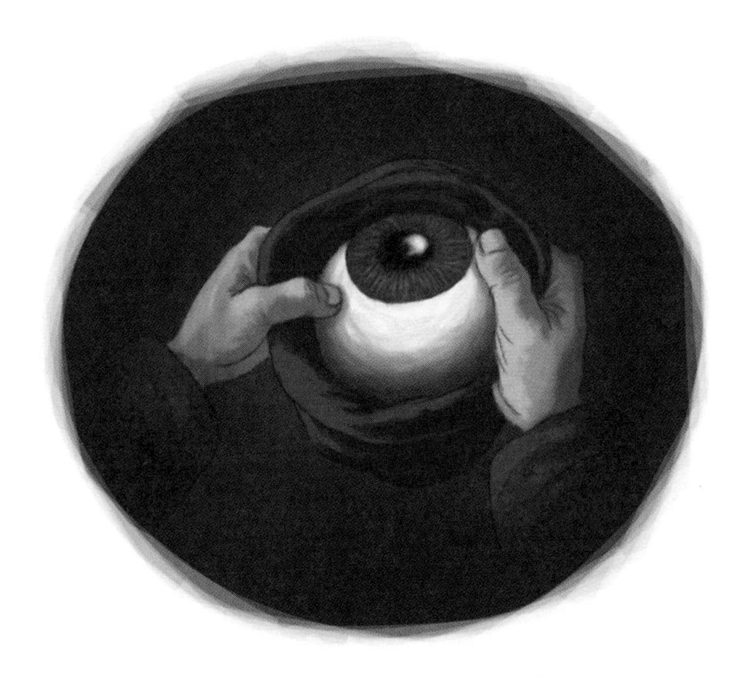

Flamme

conte et illustrations d'Éphémère

Dans une grotte cachée au fond d'une vieille forêt, au cœur des Montagnes de l'Est, vivaient Monsieur et Madame Dragon. Ce n'était pas une grotte sale et humide, comme on pourrait l'imaginer, mais une belle et accueillante caverne, avec un feu que Monsieur Dragon allumait tous les jours en soufflant dessus, et qui crépitait dans une grande cheminée. En face de l'âtre, chaudement installée sur un énorme édredon gonflé de plumes, Madame Dragon couvait un œuf bleu ciel, bien plus gros que celui d'une autruche. Monsieur Dragon, pour tromper le temps, parcourait un livre en réchauffant ses pieds devant la cheminée. Tous deux attendaient avec impatience la naissance de leur dragonneau.

Chaque jour, Monsieur Dragon demandait :

– Alors Katia, est-ce qu'il va naître aujourd'hui ?

Et Madame Dragon répondait :

– Non, il faut attendre encore un peu.

Jusqu'au jour où Madame Dragon s'écria :

– Hector, Hector, la coquille se fendille !

Monsieur Dragon se précipita aux côtés de Madame Dragon, et ils purent enfin admirer leur petit dragonneau qui sortait de son œuf.

Hector et Katia étaient si heureux d'avoir un bébé. C'était le seul qu'ils auraient jamais. C'était ainsi chez les dragons, dans toute leur longue vie, ils n'avaient qu'un seul et unique dragonneau.

Monsieur Dragon était déjà très fier de son fils. Il allait pouvoir lui enseigner tout ce qu'il savait : s'envoler dans le ciel, cracher des flammes, forger des épées invincibles, et toutes ces choses qui font qu'un dragon est un dragon.

Le dragonneau qui venait juste de sortir de sa coquille, les regarda tour à tour, et se mit soudain à éternuer dans une petite gerbe d'étincelles.

– Ce sera un grand dragon, nous l'appellerons « Flamme », déclara alors Hector.

Les semaines passèrent, puis les mois. Flamme grandissait chaque jour un peu plus. C'était un jeune et beau dragon. Tous les

amis de Katia et d'Hector le trouvaient magnifique.

Vint le jour de son premier vol. Hector emmena son fils sur le plus haut pic des Montagnes de l'Est.

– Regarde Flamme, il suffit de t'élancer en déployant les ailes et de te laisser porter par le vent, c'est très facile, tu vas voir.

Et il plongea dans le vide pour montrer à son fils comment il fallait faire. Pas très rassuré, Flamme s'approcha au bord de la falaise,

hésita un instant, puis il écarta les ailes et sauta. Après quelques secondes de frayeur, il s'aperçut qu'il planait dans l'azur. C'était merveilleux de sentir le vent caresser ses ailes, fabuleux de traverser les nuages, et encore plus grisant de faire la course avec les aigles.

Flamme savait maintenant voler. Son père entreprit alors de lui apprendre ce qui faisait la force des dragons : cracher du feu. Flamme avait rapidement appris à voler. Hector pensait que l'apprentissage du feu serait tout aussi simple pour lui. Mais non, ce fut beaucoup plus compliqué qu'il ne l'avait prévu. Malgré tous les conseils de son père, Flamme ne parvenait pas à faire jaillir la plus petite étincelle de sa gueule. Il avait beau éternuer, cracher, tousser, pas la moindre flammèche ne sortait d'entre ses dents. Le dragonneau devint bientôt la risée de tout le voisinage.

– Un dragon qui ne sait pas cracher du feu n'est pas un dragon, disaient les uns.

– Ne serait-ce pas plutôt un gros lézard, se moquaient les autres.

– Flamme, quel drôle de nom pour un ver de terre ! ricanaient-ils tous.

De « magnifique dragon », il devint « gros lézard ».

Flamme était très malheureux, et ses parents aussi. Ils continuaient, bien sûr, de l'aimer comme au premier jour, mais ils étaient tristes de voir leur fils désespéré de ne pouvoir cracher du feu comme les autres dragons.

Ils allèrent voir les plus grands magiciens pour tenter de trouver un remède. Flamme fit un régime à base de pétrole, sans résultat. Il essaya également une cure de soufre, mais cela lui donna simplement mauvaise haleine. Tous les matins, il avalait un grand bol de kérosène et grignotait des silex toute la journée, mais cela ne changeait rien. Il fallut s'y résigner, Flamme ne saurait jamais cracher le feu du dragon.

Puis ce fut l'hiver. L'hiver le plus rude que les dragons eurent jamais connu. Un hiver froid et humide. Un hiver de nez bouchés, de toux et d'angines. Un hiver où tous les dragons tombaient malades les uns après les autres. Cet hiver-là, beaucoup de foyers restèrent éteints. Les dragons malades avaient la gorge trop douloureuse pour cracher leurs flammes et allumer des feux dans leurs cheminées. Ils se regroupaient alors dans les cavernes de ceux qui résistaient encore. Un matin, plus aucun dragon ne fut capable de cracher du feu. Toutes les cheminées étaient éteintes et les cavernes étaient plus froides que des igloos. Tous les dragons s'étaient rassemblés dans la même grotte. Ils tremblaient, claquaient des dents, s'engourdissaient. Depuis qu'ils avaient appris à cracher des flammes, les dragons avaient totalement oublié comment allumer du feu sans souffler dessus. Chacun essaya de fouiller dans sa lointaine mémoire pour s'en souvenir.

– Il faut mélanger de la pâte de coing et du coulis d'escargot.

– Mais non, c'est en frottant des vers luisants sur une brosse à dent qu'on allume du feu.

– Vous racontez n'importe quoi ! Lorsque j'étais petit, j'ai enflammé une pomme de pin en l'écrasant à la fourchette dans une poêle à frire.

–Vous ne sentez pas le brûlé ? demanda soudain un vieux dragon.

– Si Edmund, tu as raison. Ça vient d'où ?

– Là, regardez, il y a de la fumée !

Tous les dragons se retournèrent et s'approchèrent du nuage blanchâtre qui commençait à s'étendre dans la caverne. Ils découvrirent alors avec surprise d'où venait l'odeur de brûlé qui envahissait la grotte. Assis par terre, Flamme frottait un petit bâton entre ses pattes. Il le faisait tourner si vite sur un autre morceau de bois, qu'il s'en dégageait des volutes de fumée. Parfois, une petite cendre incandescente s'allumait. Le jeune dragon déposa ensuite des herbes sèches sur les braises qui s'étaient accumulées, et tout s'enflamma brusquement. Flamme, qui n'était jamais parvenu à cracher du feu, avait appris en cachette comment le faire jaillir de deux morceaux de bois vigoureusement frottés l'un contre l'autre. Grâce à lui, ils allaient tous enfin pouvoir se réchauffer. Aussitôt, quelques dragons apportèrent des brindilles et des feuilles pour les brûler, puis des rameaux et des branches, et pour finir, des troncs d'arbres entiers. Une impressionnante flambée crépitait dans la cheminée. Ils s'étaient tous installés en arc de cercle devant l'âtre. Ils n'avaient plus froid. Ils ne tremblaient plus et s'étaient arrêtés de tousser. Ils allaient survivre à ce terrible hiver.

Depuis ce jour, on ne se moque plus de Flamme. Il est devenu un héros. Le Maître du feu. Celui qui sauva les dragons.

Le Cheval venu de la mer

conte illustré par Sandrine Morgan

L'enfant était assis sur la pente herbeuse et regardait la mer. Le soir tombait, les eaux vertes de la mer tournaient au gris, elles murmuraient doucement, et de longues vagues roulaient mollement.

Depuis le matin, l'enfant s'était montré grognon et agité. Il s'était disputé avec tous les siens et ne s'était plu à rien. Il avait erré tout l'après-midi sur le rivage, puis il s'était assis sur l'herbe de la pente et, la tête dans les mains, il regardait la mer apaisante.

Le soleil descendait lentement vers les nuages lointains et, de la surface de la mer, la brume montait comme de la fumée. Blanche et grise, elle formait tour à tour des ronds, des anneaux, puis s'épaississait en lourdes masses, ensuite elle s'effilochait comme une souple chevelure et se répandait sur la surface de la mer qui s'obscurcissait.

Un grand pan de brume vogua jusqu'au rivage et dissimula les petites vagues qui clapotaient sur le sable entre les galets. Là, elle s'épaissit encore, se déchira, et de la mer surgit silencieusement un grand cheval gris tout enveloppé des flocons blancs et humides de la brume.

Le cheval secoua sa longue crinière, et des lambeaux de brume s'envolèrent ; il fit quelques longs pas sur le rivage et s'arrêta. Puis il encensa et, toujours sans aucun bruit, prit sa course à travers le talus herbeux. Puis, à grands sauts, il disparut dans les collines vertes et arrondies qui dominaient le rivage.

L'enfant avait observé passionnément tous les mouvements de cet extraordinaire cheval. « Quel magnifique animal ! Si j'en avais un comme cela, je monterais sur son dos et je galoperais loin, très loin, n'importe où », pensa l'enfant, et ses yeux étincelèrent.

La brume s'était un peu éclaircie, et on vit un homme arriver sur le rivage. Il allait lentement, d'un pas traînant, les mains derrière le dos. Par moments, il s'arrêtait et regardait autour de lui, comme un flâneur qui a tout son temps. Il approchait toujours et, arrivé auprès du garçon, il s'arrêta devant lui. Il était tout de noir vêtu, sans chapeau, ses longs cheveux blonds tombaient sur ses épaules et de grands yeux gris

éclairaient son visage mince et allongé.

– Tu ne t'ennuies pas, assis ici, solitaire ? demanda-t-il à l'enfant.

– Vous avez vu ce cheval ? interrogea l'enfant en guise de réponse, et son regard se dirigea vers les coteaux arrondis au-dessus du rivage. Qu'il était beau ! Comme sa crinière grise était belle ! Et il est parti là-bas, vers les collines.

– Est-ce que tu ne devrais pas rentrer chez toi ? La nuit va tomber dans un instant.

– Si j'avais un cheval comme celui-là, je sauterais dessus, il ferait un tour et filerait comme le vent.

– Et tu n'aurais pas peur ?

– Je me cramponnerais et je lui crierais : « Hop, mon petit cheval ! Galope, mon petit cheval ! » et je partirais bien loin.

– Oui, mais s'il te jetait à terre ?

– Mon cheval ne me désarçonnerait jamais.

– C'est dommage que tu n'aies pas de cheval ! Mais, tu sais quoi ? Je vais te promener comme un cheval ; allez, assieds-toi sur mon dos !

L'homme sourit, se pencha, donna la main à l'enfant et l'assit à califourchon sur ses épaules. Il sourit, fit un tour et se mit à courir et à bondir sur le rivage. Puis il fit volte-face, retourna en courant, et l'enfant, sur son dos, était secoué comme sur une selle.

L'homme secoua la tête, et ses longs cheveux blonds volèrent en tous sens. L'enfant riait, sa mauvaise humeur était passée, et il criait : « Hop, mon petit cheval ! Cours, mon petit cheval, nous allons partir très loin ! »

De cette hauteur, il contemplait les collines vertes au-dessus du rivage et la mer onduleuse sur laquelle la brume grise et blanche glissait et se déroulait.

Puis l'enfant baissa les yeux sur la tête blonde qu'il serrait entre ses genoux. Des grains de sable parsemaient les cheveux de l'homme et, par endroits, de longues et minces algues vertes s'y entremêlaient.

L'homme faisait des pas de plus en plus grands, et l'enfant eut l'impression qu'ils étaient plus lourds et plus sonores et qu'ils frappaient plus durement le sol. Il eut aussi tout à coup l'impression de voir la mer et le rivage d'une plus grande hauteur. Il baissa à nouveau les yeux et, au lieu de la chevelure blonde, il vit une longue encolure, une épaisse crinière grise et une grande tête de cheval. L'enfant comprit qu'il était monté sur ce beau cheval gris qui lui avait tant plu et qui s'était enfui vers les collines.

Le cheval galopait, sautait en rond sur le rivage et, même, il entra dans l'eau peu profonde qui rejaillit très haut. Puis il s'arrêta et gratta le sable de son sabot en remuant la tête. L'enfant le flatta joyeusement sur le cou et cria : « Cours, mon petit cheval, cours ! »

Et le cheval se cabra, fit encore quelques bonds et courut droit dans la mer. Les tourbillons de brume s'écartèrent, puis se rejoignirent et, au loin, on entendit un long et sonore hennissement qui pouvait être aussi un rire triomphant.

Des empreintes de sabots demeuraient sur le sable à l'endroit où le cheval avait pénétré dans la mer ; mais ces empreintes sortaient de la mer…

Le Trésor du nain des bruyères

conte illustré par Amandine Wanert

Par un beau dimanche d'été, un villageois se promenait dans la lande, lorsque tout à coup, il découvrit un petit mamelon couvert de bruyère, qu'il n'avait jamais vu auparavant. Il monta dessus et entendit alors un drôle de petit bruit : on aurait dit un gazouillis d'oiseau. Pourtant, il n'y avait pas âme qui vive à des kilomètres à la ronde. Tom, notre villageois, s'approcha de l'endroit d'où venait le bruit, mais celui-ci cessa.

En revanche, il découvrit, posée dans la bruyère, une cruche en terre qui ressemblait en tout point à une cruche à bière. Mais ce qu'il vit ensuite l'étonna encore davantage : un tout petit homme habillé d'un manteau en peau de chèvre et d'un chapeau à plume s'avançait vers la cruche avec dans une main une minuscule casserole, et dans l'autre un minuscule escabeau. Il posa son minuscule escabeau contre la cruche, monta dessus et avec sa minuscule casserole, il puisa quelque chose dans la cruche, redescendit de l'escabeau et posa sa minuscule casserole

par terre près de lui. Ensuite, il s'assit sur son minuscule escabeau et commença à réparer les talons de ses minuscules chaussures qui n'étaient pas plus grandes que des chaussures de poupée.

« Par tous les diables ! se dit Tom. Ma grand-mère m'a si souvent parlé des nains des bruyères, et je n'ai jamais voulu croire un mot de ces histoires ! Et voilà que j'en ai un là, devant moi ! On dit que les nains peuvent aider les hommes à devenir riches, car ils ont des trésors enterrés sous la bruyère. Il ne faut pas que je le quitte des yeux une seconde, car il pourrait disparaître. Et je veux devenir riche ! »

Tom regarda le nain comme un chat regarde une souris. Il s'accroupit et s'approcha en catimini. Lorsqu'il fut tout près, il essaya d'engager la conversation :

– Dieu bénisse ton travail, voisin, dit-il au petit homme.

Le nain leva la tête et répondit : « Merci ! »

– Excuse ma curiosité, l'ami, reprit Tom, mais pourrais-tu me dire ce qu'il y a dans cette cruche ?

– Bien sûr, répondit le nain avec amabilité. C'est une délicieuse bière.

– De la bière ? Diable ! Comment se fait-il que tu aies de la bière ici ? demanda Tom, étonné.

– Je l'ai faite moi-même, il n'y a rien de plus simple, expliqua le nain avec un sourire. Et à ton avis, avec quoi l'ai-je faite ?

– Avec du malt, pardi ! On ne fait pas la bière avec autre chose ! s'exclama Tom.

– Pas du tout ! répondit le nain. Avec de la bruyère.

– De la bruyère ? Tom éclata de rire. Et tu crois que je suis assez bête pour croire ces balivernes ?

– Tu n'es pas obligé de me croire, répondit le plus calmement du monde le petit homme. Mais la recette de la bière de bruyère est un très vieux secret de famille que nous nous transmettons de père en fils depuis plusieurs milliers d'années !

– Puis-je goûter cette bière mystérieuse ? demanda Tom.

– Tu ferais bien mieux de laisser tranquilles les honnêtes gens que nous sommes. Ainsi, je pourrais réparer mes chaussures en paix. Et si j'étais toi, je m'occuperais plutôt des vaches de mon père ! Elles ont franchi la clôture et sont déjà en train de piétiner l'herbe du champ voisin. Alors, rentre vite chez toi, et va mettre bon ordre à tout cela !

Tom était sur le point de tourner les talons, lorsque tout à coup il se dit : « Et si je le prenais par surprise ? »

Il se précipita sur le petit homme, le glissa sous son manteau et le serra si fort sous son bras qu'il faillit l'étouffer. Mais le nain se débattit, mordit et griffa, tant et si bien que dans son effort pour le maîtriser, Tom renversa la cruche de bière qui se brisa en mille morceaux.

C'en était trop pour Tom : il entra dans une rage folle.

– Et voilà, je ne pourrai même pas goûter ta bière de bruyère !

s'exclama-t-il. Pour la peine, tu vas me montrer le trésor que tu as dû enterrer quelque part. Je suis sûr que tu en as un. Si tu me le montres, je te laisserai la vie sauve, sinon…

Il prononça ces paroles sur un ton si menaçant que le pauvre nain, terrorisé, s'empressa de dire :

– Là-bas, dans la vallée, j'ai une marmite pleine de pièces d'or. Mais lâche-moi !

– Attends, attends ! répondit Tom, un sourire victorieux sur les lèvres.

Sans plus attendre, il s'enfonça dans les taillis en tenant bien le nain dans sa main. Il enjamba les fossés et les marécages et arriva enfin à l'endroit indiqué par le petit homme.

Là, la bruyère était si haute que Tom n'en crut pas ses yeux. « C'est ici que tu dois creuser pour trouver ma marmite », expliqua le nain en désignant un pied de bruyère.

– Ça, par exemple ! Il faut que je retourne chez moi pour chercher ma faux ! Je ne pouvais pas deviner que je déterrerais un trésor aujourd'hui ! répondit Tom.

Il ôta de son mollet gauche un fixe-chaussettes rouge et l'attacha au bouquet de bruyère que lui avait indiqué le nain. Car il voulait être sûr de retrouver le bon bouquet en revenant.

– Jure-moi que tu ne toucheras ni au fixe-chaussettes, ni au pied de bruyère, dit-il sévèrement au nain. Les nains aussi doivent tenir leurs promesses. Et si tu ne le fais pas, ça ira très mal pour toi !

Pour ta punition, tu grandiras, tu grossiras et tu deviendras un homme, comme moi ! Tu n'aimerais pas cela, n'est-ce pas ?

Oh non, le nain ne voulait pas devenir un homme ! Il gémit, se lamenta longuement et finit par promettre à Tom tout ce qu'il voulait. Puis il lui dit :

– Puisque j'ai fait tout ce que tu voulais de moi, rends-moi ma liberté, maintenant !

– Pourquoi pas ? répondit Tom. Tu es libre, va-t'en vite, et bonne chance !

– À toi aussi ! répondit le nain que la colère faisait bouillir intérieurement. Et si tu trouves mon trésor, ce dont je doute, profite bien de mon or !

Tom retourna chez lui aussi vite qu'un éclair et revint hors d'haleine à l'endroit où il devait creuser. En regardant autour de lui, il crut avoir la berlue : sur tous les pieds de bruyère étaient attachés des fixe-chaussettes rouges. Ils étaient tous absolument identiques.

– Mais c'est impossible ! murmura Tom entre ses dents, en s'arrachant les cheveux de désespoir. Comment retrouverai-je

le bon pied de bruyère ?

Pourtant, le nain des bruyères avait tenu sa promesse : il n'avait touché ni au pied de bruyère, ni au fixe-chaussettes. Il n'avait rien promis d'autre, c'est pourquoi il avait pu attacher des fixe-chaussettes à tous les autres pieds de bruyère pour embrouiller Tom. Celui-ci dut bien se faire une raison : jamais il ne trouverait le trésor. Haussant les épaules, il reprit sa faux et s'en retourna bredouille. Et à partir de ce jour, il se garda bien de faire du tort à quiconque.

Pourquoi le chêne a-t-il les feuilles crénelées ?

conte illustré par Estelle Chandelier

Il était une fois un pauvre paysan qui avait une kyrielle d'enfants. Il s'occupait d'eux de son mieux, mais comme il n'avait pas de champ à lui, il devait donc besogner chez des riches fermiers, et cela ne suffisait naturellement pas à nourrir toutes ces bouches affamées.

– Quelle misère ! gronda un jour le paysan. Il n'y a que le diable qui puisse encore nous aider !

Le petit paysan ne pensait pas une minute que son appel pût être entendu, mais le diable ne se fait pas prier par deux fois. Dès que ces mots furent sortis de sa bouche, un jeune homme vêtu en garde forestier surgit devant lui.

– Que désires-tu, mon brave ? demanda ce garde forestier.

Le paysan s'effraya d'abord, car il reconnut tout de suite le diable. Mais ensuite, il reprit courage et déclara :

– Tu sais très bien ce que j'aimerais avoir : un bon lopin de terre, un couple de chevaux et une charrue pour pouvoir nourrir ma femme et mes enfants.

– Tu vas l'avoir, dit le garde forestier.

Il fit un geste de la main, et sortant on ne sait d'où, un chaudron rempli d'écus d'or apparut comme par enchantement sur la table.

– Avec cet argent, tu pourras acheter tout ce que tu désires. Seulement, il faut que tu me donnes quelque chose en échange !

– Et quoi ? interrogea le paysan.

– Toi-même, répondit le jeune homme. Dans six mois, je viendrai te chercher.

Le paysan se gratta l'oreille.

– Dans six mois, c'est bien trop tôt. Je n'aurai pas eu le temps de faire ma récolte. Mon petit monsieur, viens donc me chercher quand toutes les feuilles seront tombées.

– C'est d'accord, dit en riant le jeune homme, quand toutes les feuilles seront tombées, je t'emporterai en enfer.

Et comme il était venu, il partit, disparaissant tout d'un coup.

La femme du paysan avait tout entendu et ne cessait pas de faire le signe de croix :

– Mon mari, qu'as-tu fait ?

Mais le paysan se contenta de rire :

– Ne crains rien, ma femme ! Le diable est malin, mais un pauvre se doit d'être encore plus futé que tous les diables. Attends un peu, et tu verras.

Le printemps passa, l'été s'écoula et l'automne arriva. Le paysan avait déjà fait une très bonne récolte sur son champ, et ses enfants

avaient enfin de quoi manger. Le paysan, lui-même, se régalait avec eux. Seule, sa pauvre femme mangeait sans appétit. Elle regardait sans cesse par la fenêtre, pour voir les arbres jaunir et se dépouiller de leurs feuilles. Bientôt, tous les arbres autour de la chaumière furent nus comme des doigts. Et un beau matin, tout d'un coup, le jeune homme vêtu en garde forestier réapparut dans la chaumière, un chapeau vert sur la tête, fusil à l'épaule et un sabot à la place du pied gauche.

– Je viens te chercher, dit-il au paysan. Les feuilles sont tombées des arbres, ton heure est venue.

Mais le paysan ne se laissa pas impressionner. Il se gratta derrière l'oreille et dit :

– Les feuilles sont tombées, c'est vrai, mais pas toutes. Regarde un peu ce bosquet, par là.

Et il indiqua une colline derrière la chaumière. Il y avait là une petite chênaie, elle était déjà toute jaunie, mais beaucoup de feuilles restaient attachées aux branches des jeunes chênes.

– Je t'avais pourtant dit de venir me chercher quand toutes les feuilles seraient tombées. Et comme tu peux t'en rendre compte

par toi-même, toutes les feuilles ne sont pas encore tombées. Tu dois donc revenir.

– Je viendrai, pourtant ! dit le garde forestier.

Un mois plus tard, il était de retour. La neige gisait partout, les arbres nus frissonnaient, mais la chênaie sur la colline avait toujours des feuilles. Le paysan riait :

– Comme tu peux le voir, toutes les feuilles ne sont pas encore tombées. Et elles ne vont pas tomber de sitôt. Tu dois encore revenir.

– Je viendrai, ne crains rien, grinça le diable.

Aux approches du printemps, quand la glace eut fondu, il vint pour la troisième fois. La neige avait disparu, les arbres commençaient à bourgeonner, mais dans la chênaie tremblaient toujours quelques feuilles de l'automne précédent. Le paysan mena le petit garde forestier à la chênaie et lui dit, en souriant :

– Comme tu vois, toutes les feuilles ne sont pas tombées, et elles ne tomberont plus, regarde mieux.

En effet, des petites feuilles neuves verdoyaient déjà parmi les vieilles feuilles d'automne. Le diable comprit que le paysan avait été plus malin et qu'il l'avait surpassé en ruse. Au comble de la fureur, il enfonça ses griffes dans les jeunes petites feuilles, et puis il disparut.

Le paysan s'en était sorti sans dommage. Mais les feuilles de chêne, elles, portent depuis un souvenir du diable. Jadis, elles avaient le bord bien lisse, mais depuis que le diable y a enfoncé ses griffes, elles sont toutes déchirées.

La Route à travers les montagnes

conte illustré par Éphémère

Par un beau dimanche ensoleillé d'été, deux garçons d'un village solitaire de la vallée arrivèrent, à travers la montagne, dans un petit port blotti entre les rochers du fjord.

Les deux frères, Ivar et Christophe, flânaient au milieu de la foule et se chauffaient au soleil qui brillait enfin pour de bon, après le long hiver. Ils allèrent se promener sur le port et regardèrent les bateaux : petits ou grands, bateaux de pêche ou bateaux de commerce, ils restaient immobiles sur l'eau, amarrés les uns à côté des autres.

– Je voudrais bien avoir un bateau comme cela, dit Ivar. J'engagerais un équipage et je m'en irais très loin.

– Je partirais avec toi, ajouta Christophe. Je serais timonier, cela serait plus intéressant que de mener les vaches au pâturage.

Ils passèrent presque tout leur après-midi dans le port, examinant tous les pays qu'ils auraient pu visiter. Quand la fraîcheur tomba, ils se rappelèrent qu'ils auraient dû, depuis longtemps, prendre le chemin du retour. Ils traversèrent rapidement la ville et abordèrent la montagne.

– Nous n'arriverons pas avant la nuit tombée, dit Christophe.

– Hâtons-nous, nous atteindrons le col encore de jour, et nous pourrons voir briller les fenêtres éclairées, dit Ivar pour le rassurer. Le temps est beau, la lune éclairera notre chemin.

La route, bordée de pins et de mélèzes, escaladait le flanc de la montagne en direction du col. Entre les arbres, le sommet dénudé se découpait contre le ciel. Par endroits, l'eau avait raviné la route, ailleurs, de grosses racines la traversaient. Mais les deux frères avaient l'habitude de ce chemin, et il fuyait sous leurs pas.

La nuit fut bientôt noire, mais la lune l'éclairait, et leur marche ne se ralentissait pas. Ils approchaient du col, les arbres étaient moins serrés, la route se faisait plus facile, quand Christophe saisit son frère par le bras, s'arrêta et dit :

– Attends, j'ai l'impression qu'on nous suit.

– Je crois que tes oreilles bourdonnent, rétorqua Ivar. Nous allons à une telle allure qu'il ne serait pas aisé de nous rattraper.

– Nous pouvons attendre un peu, il s'agit peut-être d'un voyageur égaré qui sera content de ne pas faire route seul. Écoute !...

Mais on n'entendait rien, et ils se remirent en route. Christophe se retournait de temps à autre, parce qu'il était presque sûr d'entendre quelqu'un les suivre en trébuchant. À la fin, il s'arrêta encore et appela son frère :

– Écoute, maintenant !

Et, cette fois, Ivar lui-même entendit distinctement, au-dessous d'eux, dans l'obscurité, un pas lourd qui faisait rouler les pierrcs du chemin. Mais il eut un sourire amusé et dit :

– Je pense que ce sont des pierres qui se sont détachées. Sinon, il faudrait un défilé pour faire tant de bruit. Avance, que nous arrivions vite à la maison et qu'il nous reste le temps de dormir.

À peine avait-il prononcé ces paroles qu'ils virent, au tournant de la route, quelque chose bouger. Une énorme forme noire avançait en se détachant sur le ciel étoilé. Elle atteignait presque la cime des pins. Elle enflait et diminuait tour à tour, se partageait en plusieurs formes plus petites qui, ensuite, se rassemblaient en une seule. Elle exhalait un souffle bruyant, piétinait avec un bruit épouvantable, mais se rapprochait rapidement sur la route du col.

La terreur paralysa les deux frères. Puis ils entendirent un grommellement où ils distinguèrent ensuite des paroles : « Je sens un homme. » Et, un moment après : « Il est là, quelque part, tout près. » Puis : « Cherche-le, que nous l'attrapions. »

Les deux frères n'attendirent pas la suite, ils s'enfuirent. Ils se

rendirent vite compte qu'ils n'avaient aucune chance d'échapper, et ils tentèrent au moins de se cacher, l'un derrière un épais buisson de genévrier, et l'autre derrière un gros rocher. L'apparition aussi fit halte et, pendant un moment, on n'entendit que le silence. Les voix se firent entendre de nouveau :

– Il est vraiment par ici ?

– Je suis sûr de l'avoir senti.

– Et tu l'as vu ?

– Je l'ai vu, mais maintenant, il a disparu.

– Mais je le sens toujours, par ici, tout près.

– Donne-le-moi, je vais regarder.

Le plus bizarre était que les voix se répondaient, comme si plusieurs personnes parlaient, mais le timbre était toujours le même, comme s'il s'était toujours agi de la même voix.

Le silence se prolongeait, si bien qu'Ivar, emporté par la curiosité, écarta les branches du buisson pour voir enfin ce qui les poursuivait. C'était un troll, l'esprit de la montagne. En réalité, c'était trois trolls, si semblables qu'on ne pouvait les distinguer l'un de l'autre.

Ils se tenaient l'un et l'autre par les épaules, de leurs fortes pattes munies de longues griffes.

Leurs jambes interminables supportaient leur gros corps court et trapu, leur tête était enfoncée dans leurs épaules étroites, énorme, difforme et surmontée de deux oreilles pendantes. Sur leur tête se hérissaient des cheveux noirs et raides comme des piquants ; leur longue barbe noire, semblable à la queue d'un cheval, pendait de leur menton jusqu'à leurs genoux. Leur tête tournait de côté et d'autre ; au-dessus de leur barbe, luisaient leurs crocs blancs et aigus.

La peur dessécha le gosier d'Ivar, mais il continua d'observer les trolls. Il s'aperçut alors qu'ils n'étaient pas semblables. Le premier, seul, portait un grand œil au milieu du front, les deux autres, à la même place, n'avaient qu'un creux noir et vide. Ce grand œil brillant, remuait aussi de côté et d'autre, et parfois, fixait le buisson derrière lequel se cachait Ivar.

Il pensa qu'il était découvert, et il eut si peur que tout le buisson frémit. Il vit la longue patte du premier troll se tendre vers lui. Il bondit et courut se cacher derrière le rocher où son frère

tremblait de peur. Les deux autres trolls faisaient de grands gestes avec leurs pattes, et criaient tous ensemble et s'interpellaient :

– Tu l'as ?

– Je l'avais presque, il a échappé.

– Tu ne sais pas regarder.

– Il s'est sauvé par en bas.

– Donne-moi l'œil, je l'attraperai, moi !

Le premier troll s'extirpa l'œil et le donna au second qui l'enfonça dans le trou de son front, chercha autour de lui, jusqu'à ce que son regard tombe sur le rocher derrière lequel les deux frères se faisaient tout petits. Le troll s'écria : « Je le vois ! », et il tendit la main vers eux. Mais ce fut en vain, les deux frères avaient bondi. Les trolls recommencèrent à discuter :

– Alors, tu l'as attrapé ?

– Non, il s'est sauvé par en bas ! Tiens ! Attrape-le ! répondit le troll du milieu qui sortit l'œil de son front et le tendit au troisième.

Celui-ci se le plaça dans le front, jeta un regard autour de lui et vit Christophe qui courait vers le haut. Furieux, il grogna :

– Tu ne vois pas clair ! Il est là-haut. Tiens !

Et il repassa l'œil au premier. Mais Christophe était retourné derrière le buisson, et le troll ne le vit pas. Il repassa l'œil au dernier et dit :

– Il a quand même dû courir par en bas, je ne le vois pas par ici.

Celui du milieu reprit :

– Vous n'y voyez pas plus clair l'un que l'autre ! Je l'avais… Allons, donne-moi l'œil !

Et il tendit la patte, mais heurta la main qui tenait l'œil. L'œil tomba et roula vers Ivar, qui cherchait où se cacher. Il attrapa prestement l'œil et le mit dans son bonnet. Pendant ce temps-là, les trolls se disputaient :

– Tu l'as attrapé ?

– Tu ne m'as pas donné l'œil.

– Mais, enfin, tu l'as pris !

– Non, tu ne me l'as pas donné.

– Si tu as toujours l'œil !

– Mais je ne l'ai pas, moi !

Ivar se rendit compte que, maintenant, les trolls étaient impuissants, et leur discussion lui sembla si cocasse qu'il éclata de rire. Les trois trolls s'écrièrent en même temps :

– Tu entends ? Il est là ! Mais regarde !

Ils se turent un moment, puis s'écrièrent tous les trois ensemble, épouvantés.

– L'œil est perdu !

– Eh oui ! C'est moi qui l'ai, leur répondit Ivar. Je ne vous le rendrai pas.

Et il se sauva. Guidés par sa voix, les trolls le cherchaient avec leurs mains. Le troll du milieu prit la parole :

– Rends-moi l'œil ou il t'en cuira ! Pas la peine que je t'attrape, si je te touche, seulement du bout de ma barbe, tu seras changé en pierre en une seconde.

– Tu n'y arriveras pas, cria fièrement Ivar.

Il ramassa l'œil et s'enfuit. Mais les trolls, suivant le bruit de ses pas, se mirent à sa poursuite. Ils étaient sur le point de le rattraper, il fit un écart, buta et tomba. Christophe se précipita hors de sa cachette, les trolls se retournèrent et coururent après lui. Christophe s'arrêta, et les trolls perdirent la trace des deux frères. Ils restèrent sur place, écoutant et flairant dans toutes les directions, mais les garçons ne bougeaient pas pour que les trolls ne les entendent pas.

Cependant, le ciel blanchissait, parce que l'aube était proche et, sur l'horizon éloigné, apparurent les contours des montagnes. Les trolls manifestèrent de l'inquiétude et dirent :

– S'il te plaît, rends-nous notre œil, nous ne pouvons pas rentrer chez nous sans lui.

– Tu es rapide, n'aie pas peur, rends-nous l'œil.

– Sans notre œil, c'en est fait de nous, et toi, tu ne peux rien en faire.

Les garçons se gardèrent bien de répondre, et Christophe s'approcha d'Ivar en silence. Le troll du milieu lui dit alors :

– Rends-nous notre œil et tu auras une riche récompense. Je te donnerai tout l'or que tu pourras porter. Regarde !

Il secoua sa longue barbe noire. Des pépites d'or en tombaient et sonnaient sur le sol ; elles y firent bientôt un gros tas étincelant.

Le spectacle était si extraordinaire que Christophe prit son frère par le cou et lui chuchota à l'oreille :

– Et si nous lui rendions son œil ? Avec tout cet or, nous pourrions acheter le plus grand bateau, peut-être deux bateaux.

Mais Ivar secoua la tête et chuchota à son tour :

– De toute façon, l'or est à nous. Tu vas voir !

À l'horizon, le ciel passait du gris au blanc. Le troll reprit :

– Tout cela est à toi si tu nous rends notre œil. Dépêche-toi avant qu'il ne soit trop tard !

À peine avait-il prononcé ce mot qu'un éclair se dessina au-dessus de la montagne : c'était le premier rayon du soleil. Il tomba sur les trolls. Alors, les trolls changèrent d'apparence et, avant que le soleil soit monté au-dessus de l'horizon, il y eut trois grosses pierres grises au milieu du chemin. Elles montaient jusqu'au sommet des grands pins, étaient appuyées les unes sur les autres et une mousse épaisse les recouvrait. Dans son bonnet, Ivar trouva un caillou blanc, lisse et rond, mais du tas d'or, il ne restait pas trace.

Magie et Contes de fées

Le Vieillard magicien

conte illustré par Céline Puthier

Un jour, il y a de cela fort longtemps, un petit vieillard chenu se promenait dans une forêt profonde. Coiffé d'un large chapeau noir au bord effiloché, il portait dans une main une cruche en terre cuite et appuyait l'autre sur un bâton noueux. Peut-être était-il venu chercher des fraises ou des framboises, mais visiblement, il n'avait guère envie d'en cueillir. Accablé par la chaleur, il cherchait un endroit ombragé afin de s'y reposer.

Il arriva ainsi près d'une grosse souche couverte de mousse, ôta son chapeau, essuya son visage trempé de sueur et s'assit.

Peu après, un jeune paysan d'un village voisin vint à passer par là.

« Dieu soit avec toi », fit le vieillard en le saluant.

Pour toute réponse, le paysan grommela quelques mots entre ses dents.

« Écoute, jeune homme, j'ai une soif terrible : n'y aurait-il pas une source par ici ? » demanda le vieillard.

« Je n'en sais rien. Tu n'as qu'à chercher toi-même », rétorqua le paysan, tout en continuant son chemin.

Le vieil homme poussa un soupir, puis frappa trois fois la terre de son bâton noueux et à l'instant même le paysan se transforma en un bel âne robuste. Il bougea les oreilles, agita la queue, puis se mit à braire.

Un moment plus tard apparut un autre jeune homme. À en juger par ses vêtements, il devait s'agir d'un forgeron. Le vieil homme le salua poliment, essuya son front trempé de sueur et s'enquit :

« Ne sais-tu pas s'il y a dans le coin une source ou un ruisseau ? J'ai si soif!…»

Sans même lui adresser un regard, le jeune homme rétorqua :

« Si tu as soif, trouve-toi de l'eau tout seul. Je ne vais certainement pas la chercher pour toi, j'ai autre chose à faire ! »

Le vieil homme soupira de nouveau, et frappa encore trois fois la terre de son bâton noueux. Aussitôt, un âne gris apparut à côté du premier. L'animal remua la tête et par un long braiment, salua son voisin. Puis tous deux se mirent à brouter les chardons qui poussaient le long du sentier.

Enfin, un troisième jeune homme vint à passer par là. Malgré sa faible corpulence, il portait sur son dos une grosse hache et une corde solide. Il sourit au vieillard et lui adressa un salut chrétien :

« Dieu vous garde, grand-père. Mais que faites-vous ici ? Vous semblez épuisé ! »

« Je te salue aussi, fiston, répondit le vieil homme. C'est que j'ai chaud, vois-tu, même à l'ombre, et que la soif me torture. Ne sais-tu pas s'il y a de l'eau à proximité ? »

« Ici, en haut, je ne pense pas. Mais au pied de la colline, je dois certainement en trouver. Donnez-moi votre cruche, je vais vous la remplir », proposa le jeune homme. Et posant près du vieillard ses outils de bûcheron, il saisit la cruche et se hâta vers la vallée.

Après un long moment, il revint, tout essoufflé, avec la cruche pleine. Le vieil homme, ravi, avala quelques gorgées, essuya sa bouche et déclara :

« Je vois que tu es venu chercher du bois, mais tu ne me sembles pas bien costaud. Et si je te prêtais ces deux ânes ? »

Le vieillard montra les deux animaux et ajouta :

« N'hésite pas à les charger, ils sont forts et bien nourris. »

« J'accepte volontiers ton offre, répondit le paysan. Mais dis-moi où je devrai les ramener. Je ne sais même pas où tu habites. »

« Ne te fais pas de souci pour cela, reprit le vieillard en souriant. Quand vous serez arrivés chez toi, tu n'auras qu'à les sortir devant la porte. Puis avec une baguette de noisetier, tu les frapperas avec force sur le dos. Surtout, donne-leur un bon coup, n'hésite pas ! Ensuite, ils trouveront leur chemin tout seuls ! »

Le jeune homme promit au vieillard de suivre ses instructions, puis se dirigea vers les ânes. Il s'assit sur l'un, saisit l'autre par le licou, les fouetta et s'engagea dans le bois.

Il se retourna encore une fois pour faire un signe au vieillard, mais celui-ci avait disparu. « Eh bien ! pensa le bûcheron, cette eau de source était vraiment vivifiante ! »

Dans le bois, il coupa de nombreux arbres. Puis il lia avec sa corde les troncs élagués, chargea les ânes et prit le chemin du retour. Dans la cour, il entassa le bois, donna à boire aux animaux éreintés et les brossa avec un bouchon. Il alla ensuite chercher dans sa remise une grosse baguette de noisetier avec laquelle il donna à chacun quelques bons coups sur le dos.

Les deux ânes poussèrent un braiment douloureux et, ô miracle ! ils se transformèrent à l'instant

Le Vieillard magicien

même en paysans. Alors, sans un mot, ceux-ci coururent chez eux tout honteux.

Le jeune homme les regarda un instant bouche bée, et éclata de rire : « Quel coquin, ce petit vieillard ! Il avait choisi pour exercer sa magie les deux plus grands égoïstes du village, des garçons qui ne levaient jamais le petit doigt pour aider leur entourage ! C'était bien fait pour eux ! »

Durant tout l'hiver, chaque fois que le paysan ajoutait une bûche dans le feu, il esquissait un sourire débonnaire et pensait :

« Rencontrerai-je encore un jour ce petit vieillard ? »

Peut-être… Et si ce n'est pas le cas, c'est sans doute qu'il use de sa magie dans un autre conte, afin que les gens deviennent attentifs et plus aimables les uns envers les autres.

Par vent, terre, eau et feu…

conte et illustrations de Sandrine Morgan

À l'abri des regards, vivaient dans une grotte un vieux magicien et son fils, Mago. L'enfant était bon élève et recevait de son père tous les secrets d'un métier qu'il tenait lui-même de son père. Lorsque l'enfant eut atteint sa quinzième année, le magicien lui dit : « Aujourd'hui, je dois te transmettre le secret de notre famille, le charme du pouvoir :

« Plus rien ne crains.
Par vent, terre, eau et feu,
Poursuis ton chemin.
Force est ce que tu veux. »

Mago reçut aussi un cadeau : « Ceci est un manteau de Terre. Frangé de lin, doublé de fourrure, perlé de graines magiques, cousu de fleurs, de feuilles et de plumes multicolores, il s'attache avec une

boucle en or. Il te sera utile là où tu iras, car tu dois à présent éprouver le charme. »

« Sache également ceci, fils : la magie peut beaucoup mais le cœur peut tout ! » confessa le père, et il ajouta : « Reviens-moi plus fort, quand tu connaîtras ton cœur. »

Mago brandit son bâton de magicien et partit joyeux, fier de ce nouveau pouvoir et de cette liberté accordée. Il répétait, répétait :

« Plus rien ne crains.
Par vent, terre, eau et feu,
Je poursuis mon chemin.
Force est ce que je veux. »

Enfin, du bâton un éclair fendit le ciel et telle une fusée, le jeune magicien prit de l'altitude, traversa les nuages et s'élança dans l'espace. Étourdi, il retrouva vite ses esprits dans un désert balayé par les vents. Devant lui, s'approchait en dandinant un gros oiseau déplumé qui ne pouvait plus voler.

Tout en retirant les plumes de son manteau, le magicien ordonna : « Prends ceci et suis-moi ! » L'oiseau attrapa les plumes avec son bec et fut aussitôt recouvert d'un plumage multicolore.

Puis, Mago leva son bâton :

« Plus rien ne crains.
Par vent, terre, eau et feu,
Poursuivons notre chemin.
Force est ce que je veux. »

Ils furent pris dans un tourbillon et ensevelis dans les profondeurs de la terre, où ils se retrouvèrent nez à nez avec un ourson solitaire. Tombé dans une fosse, cela faisait des jours qu'il errait à la recherche d'une issue, loin de sa mère, sans plus rien à manger.
Affaibli, son beau pelage brun n'était plus qu'un souvenir.

Le jeune magicien se méfiait mais l'œil triste de l'animal ne mentait pas. Dégageant la doublure de son manteau, Mago tendit la fourrure à l'ourson qui fut aussitôt recouvert d'un splendide pelage tigré noir et feu. Alors, le magicien brandit son bâton : « Viens !
Ces fleurs et ces feuilles tombées de mon manteau sur le chemin de notre arrivée nous guideront vers la sortie. »

Le magicien, l'oiseau et l'ourson cheminèrent ainsi jusqu'à une rivière souterraine où les fleurs et les feuilles disparaissaient.

Alors, Mago retira les graines du manteau et les offrit à l'oiseau :

« Avec ces graines magiques tu vas reprendre des forces. Nous allons nous accrocher sur ton dos avec ces cordes en lin et nous volerons vers l'issue. »

Les trois aventuriers furent bientôt à l'air libre, au-dessus d'une mer bordée de forêt. L'oiseau se posa, tout près d'un village. Ils étaient affamés et le magicien pensa trouver de la nourriture en négociant auprès des villageois sa boucle en or. L'oiseau, l'ourson et le magicien firent sensation : personne n'avait encore vu, même au cirque, un oiseau au plumage si flamboyant et un ourson au pelage tigré ! Les villageois acceptèrent la boucle et promirent de nourrir les visiteurs. Bien repus, ils furent installés dans une grange pour la nuit.

Au réveil, Mago était seul. Il chercha sans succès dans le village la trace de ses amis. Toute sa magie ne lui permettrait pas de les retrouver s'ils avaient choisi de regagner la forêt ! Une grande tristesse l'envahit. Il pensa à son père qui lui avait dit de revenir lorsqu'il

connaîtrait son cœur. Or, à présent, son cœur était vide.
Il comprenait que son chemin magique devait être accompagné de ses amis.

Mago prit son bâton et la direction de la forêt. Soudain, il entendit des grognements et des cris familiers. Se guidant à l'oreille, il parvint jusqu'à une petite clairière où il découvrit l'oiseau et l'ourson enchaînés. Les villageois les avaient capturés pour leur cirque. Il fallait quitter cet endroit au plus vite. Mago jeta le charme magique de tout son cœur :

« Plus rien à craindre.
Par vent, terre, eau et feu,
Poursuivons notre chemin.
Force est ce que je veux.
Que ces liens se brisent
Et que d'autres nous unissent ! »

Aussitôt, un éclair jaillit du bâton et brisa les chaînes des prisonniers. Les trois amis manifestaient leur joie de se retrouver : ils grognaient, criaient, pleuraient. « Il est temps de reprendre la route ! » décida Mago. « Ourson, nous devons retrouver ta mère qui doit être inquiète. Quant à toi, oiseau, je te choisis pour monture, si tu m'acceptes sur ton dos. » Et ils disparurent dans la forêt en chantant :

« De rien ne me plains.
Par vent, terre, eau et feu,
Je poursuis mon chemin
Le cœur heureux. »

Bientôt, ils fêtèrent les retrouvailles d'Ourson et de sa mère. Et l'oiseau emporta Mago jusqu'à la grotte de son père, avant de s'élancer vers de nouvelles aventures.

Kao Liang, sauveur de Pékin

conte illustré par Sébastien Chebret

Cela se passait en Chine, au temps de la dynastie des Ming. À l'époque, le général Liou Po-jun avait fait construire de hautes murailles de fortification autour de Pékin, et juste au moment où les travaux s'achevaient, on vit arriver un messager à cheval, tout essoufflé, qui annonça, plein d'effroi, que toutes les sources et les fontaines de Pékin s'étaient taries d'un seul coup.

Le général Liou Po-jun était non seulement un très courageux chef militaire, il était de plus un homme fort avisé, qui en savait long sur bien des choses. C'est pourquoi il comprit d'où provenait ce malheur. Il convoqua tous ses soldats, et leur tint ce langage :

« Mes fidèles soldats ! Vous avez appris que l'eau a soudain disparu de toutes les sources, puits et fontaines de Pékin. Si bien que notre cité est menacée de mort. Mais un homme au cœur pur et audacieux peut éviter le sort terrible promis à des milliers de gens. La tâche qui l'attend pour sauver la ville ne sera pas aisée, mais sa récompense sera l'amour et la reconnaissance d'un peuple entier, s'il réussit dans cette tâche périlleuse. »

Les soldats écoutaient cela en silence, et continuaient à se taire, jusqu'à ce qu'un jeune homme se fît soudain entendre :

« Je vais y aller, moi, Général ! »

Ce jeune homme s'appelait Kao Liang.

Le général le prit à part, et lui dit :

– Comme je l'ai déjà dit, la tâche qui t'attend n'est pas aisée. Surtout, et c'est là le principal pour qu'elle réussisse, tu ne peux en souffler mot à quiconque. Demain matin, tu selleras le cheval le plus rapide de nos écuries.

Tu t'armeras complètement, et tu prendras la direction du nord-ouest. Tu ne tarderas pas à voir devant toi une vieille qui tire une charrette avec deux cuveaux pleins d'eau, et un petit vieux qui pousse à la charrette pour aider la vieille. Ce vieillard n'est nul autre que le roi des Dragons, et la vieille femme est la reine des Dragons. Ce sont eux qui ont causé notre malheur. C'est qu'autrefois, à l'endroit où s'étend maintenant notre ville, s'étalait la mer. Mais les Chinois ont asséché la mer et ils ont bâti Pékin en cet endroit. Si bien que le roi des Dragons est privé de son lieu d'habitation. Il a été obligé d'aller bien loin, pour être près de la mer, et il a décidé de se venger de nous. Dans les deux cuveaux qui sont sur la charrette, il emporte toute l'eau de Pékin. Et c'est cela que tu dois empêcher.

– Mais comment vais-je reprendre au roi des Dragons toute cette eau de la ville de Pékin ? demanda Kao Liang, très inquiet.

– Tu galoperas à toute vitesse autour de la charrette, et tu perceras les deux cuveaux avec ta lance.

– Cela ne semble pas bien difficile, dit le jeune soldat en riant, l'air soulagé.

– Non, difficile, ce ne l'est pas. Mais après, alors oui, ce sera difficile de sauver ta vie. Il te faudra faire demi-tour et fuir rapidement, pour regagner la ville le plus vite possible. Et en galopant pour revenir, tu ne peux absolument pas te retourner pour regarder derrière toi, quoi qu'il arrive, avant d'avoir compté cent pas. C'est la seule façon pour toi de revenir parmi nous.

Le lendemain, dès l'aube, Kao Liang alla choisir le cheval le plus rapide de l'armée, se revêtit d'une cuirasse bien épaisse, se munit d'une lance lourde et forte, avec laquelle il eût pu transpercer la porte du palais impérial, et prit la route du nord-ouest.

Il ne chevauchait pas depuis très longtemps quand il aperçut dans la poussière du chemin deux vieillards qui traînaient une charrette avec deux cuveaux. La vieille, toute bossue, tirait à grand-peine sur la bricole et le vieux, bien décrépit, poussait derrière, de toutes ses faibles forces.

« Les voilà ! Ce sont sûrement eux, le roi et la reine des

Dragons ! » se dit Kao Liang, qui en eut le souffle coupé.

Pour un peu, il aurait eu pitié de ces deux vieux qui paraissaient si misérables. Il était toutefois soldat, et pour un soldat, un ordre du général passe avant tout. Il brandit donc sa lance, galopa comme l'éclair autour de la charrette, et transperça de deux rudes coups de lance les deux cuveaux. Puis il fit faire un bond à son cheval, exécutant une adroite manœuvre pour galoper vite, encore plus vite, vers la ville.

Deux coups terribles retentirent. On eût dit que la terre avait éclaté, que le ciel s'ouvrait. Puis on entendit des cris, des gémissements, des hurlements, des plaintes déchirantes. Kao Liang, se souvenant fort bien des paroles du général, et les observant, galopait sans rien écouter, se bouchant les oreilles pour ne plus entendre ces cris effrayants. La terre trembla sous les coups des sabots de son cheval, et une sueur froide coula du front du jeune homme galopant tant qu'il pouvait pour regagner la ville. Il avait l'impression qu'une terrible armée de cavaliers le pourchassait, et qu'elle était sur le point de le rattraper. Cependant, il n'oubliait pas de compter les pas que faisait son cheval, et quand enfin il arriva à cent, il se retourna.

Hélas, trois fois hélas ! Dans son agitation, il se trompa en comptant. Il avait compté un pas de plus ! Il n'y avait que quatre-vingt-dix-neuf pas de cheval au galop depuis qu'il s'était mis à fuir, et non pas cent, comme il le croyait ! Et derrière lui dévalaient des flots d'eau mugissante, bondissante, qui l'engloutirent au moment où il se retourna, un pas trop tôt ! La vague gigantesque renversa le malheureux Kao Liang, avec son cheval, et elle l'avala d'un seul coup.

Aussitôt, tout se calma, les vagues s'apaisèrent, et l'eau se remit à couler tranquillement des sources et des fontaines de Pékin.

De nos jours encore, à Pékin, l'eau claire jaillit de la Source de Jade et forme le lac Kchoung-ming-tchou, juste à l'endroit où furent percés les deux cuveaux de la charrette du roi et de la reine des Dragons. Et le pont, qui porte le nom de Kao Liang, conserve encore de nos jours le souvenir de ce brave jeune soldat qui sauva la ville de Pékin et évita à ses habitants une terrible mort : la mort par la soif.

Poucette

conte illustré par Anaïs Rotteleur

Poucette était une petite fille, mignonne, gentille, et pas plus haute qu'un pouce. C'est pour cette raison qu'on l'appelait Poucette. Elle était née dans le cœur d'une magnifique tulipe. Son berceau était une coquille de noix laquée, son matelas et son édredon des pétales de violettes et de roses.

Une nuit, tandis qu'elle dormait tranquillement dans son lit délicieux, une vilaine grenouille qui avait un fils à marier s'empara de la coque de noix, et ce fut là le triste début de ses mésaventures… Pour échapper à son malheureux sort, Poucette dut s'enfuir à toutes jambes et dévaler le cours du ruisseau sur une feuille qui l'emporta loin, très loin… puis elle s'envola sur la feuille dans le ciel.

Le vol s'acheva enfin dans une forêt où Poucette vécut seule durant tout l'été.

Elle se tressa un lit de brins d'herbe, récolta le pollen des fleurs pour s'en nourrir, et but la rosée du matin sur les fleurs.

Ainsi passèrent les jours, puis vinrent l'automne et le long, long hiver. Poucette eut terriblement froid, car ses vêtements étaient déchirés, et elle-même était si petite et si frêle…

Une souris eut alors pitié d'elle, elle lui donna à manger et accepta de l'héberger.

– Tu peux bien rester chez moi cet hiver, mais il faudra tenir ma chambre tout à fait propre et me conter des histoires, car je les aime beaucoup.

Poucette vécut ainsi chez la souris en lui obéissant. Les mois suivirent les semaines puis, un beau jour :

– Nous aurons bientôt une visite, dit la souris des champs : mon voisin.

Et monsieur taupe vint en effet peu après dans sa pelisse de velours noir. Il était riche et instruit. Poucette dut chanter pour lui, et elle chanta tant et si bien qu'il devint amoureux d'elle en raison de sa belle voix. Il invitait souvent Poucette et la souris à le visiter en

empruntant le long corridor qui rejoignait les deux domiciles.

C'est là qu'un jour Poucette découvrit par hasard un oiseau qui semblait mort de froid. Elle ne dit rien, mais lorsque les deux autres eurent tourné le dos, elle se baissa, écarta les plumes qui recouvraient la tête de l'hirondelle, la baisa sur ses yeux clos, mais fut aussitôt très effrayée, car il y avait comme des battements à l'intérieur. C'était le cœur de l'oiseau. L'oiseau n'était pas mort, il était engourdi, et la chaleur l'avait ranimé.

– Sois remerciée, gentille enfant, lui dit l'hirondelle malade, j'ai été délicieusement réchauffée, bientôt j'aurai repris des forces et, de nouveau, je pourrai voler aux chauds rayons du soleil !

Poucette redoubla d'attention pour elle et, dès que revint le printemps et que le soleil réchauffa la terre, l'hirondelle rétablie dit adieu à Poucette, qui dégagea le trou prévu au faîte de la galerie. Le soleil rayonnait au-dessus d'elles, et l'hirondelle parvint à convaincre Poucette de la suivre, pour fuir l'hiver glacial et le triste mariage avec la taupe.

– Oui, je viens finalement avec toi, dit Poucette qui se mit aussitôt sur le dos de l'oiseau, les pieds sur ses ailes étendues.

Elle attacha fortement sa ceinture à une des plus grosses plumes, et l'hirondelle s'éleva haut dans l'air, au-dessus de la forêt et au-dessus de la mer, au-dessus des grandes montagnes toujours couvertes de neige.

Et elles arrivèrent enfin aux pays chauds.

L'hirondelle déposa alors Poucette sur le large pétale d'une fleur magnifique qui ne pousse que là-bas, mais quelle surprise fut celle de la fillette ! Un petit homme était assis au milieu de la fleur ! Il avait sur la tête une belle couronne d'or et aux épaules de jolies ailes claires, et il n'était pas plus grand que Poucette. C'était l'ange de la fleur.

– Oh, qu'il est beau, chuchota Poucette à l'hirondelle.

Lorsqu'il vit Poucette, le petit homme fut enchanté : c'était la plus belle fille qu'il eût encore jamais vue. Il prit sur sa tête sa couronne d'or et la plaça sur la tête de Poucette, puis il lui demanda comment elle s'appelait et si elle voulait être sa femme : elle serait ainsi la reine de toutes les fleurs !

Oh, c'était là un mari bien différent du fils de la grenouille et de la taupe à la pelisse de velours noir. Elle dit donc oui au charmant prince !

– Tu ne t'appelleras pas Poucette, lui dit l'ange de la fleur, c'est un vilain nom, et tu es si belle. Nous t'appellerons Maïa.

– Adieu, adieu ! dit la petite hirondelle, qui s'envola de nouveau, quittant les pays chauds pour aller très loin, jusqu'au Danemark ; c'est là qu'était son petit nid, au-dessus de la fenêtre où habite l'homme qui sait raconter des histoires.

Elle lui a chanté son : *qvivit, qvivit !* et c'est de là que nous tenons le récit.

Une Visite inattendue

conte illustré par Pascale Breysse

Monsieur Shirozaemon était un commerçant habile : on était assuré de trouver chez lui les meilleures qualités de thé et ses affaires étaient prospères. Il employait dans son magasin de nombreux commis et de nombreux aides, et dans sa maison travaillaient autant de domestiques que dans le palais d'un petit seigneur. La servante la plus âgée, Madame Takae, dirigeait les autres, et la plus jeune, sa nièce de quinze ans, Okamé, était la femme de chambre de la maîtresse de maison.

Okamé était une très belle jeune fille, charmante et enjouée. Elle s'entendait avec tout le monde et elle était la préférée de toute la famille et de tous les domestiques, car chacun se sentait de meilleure humeur quand Okamé lui avait souri.

Un jour, au début du printemps, la maison de Monsieur Shirozaemon connut une grande activité. On faisait de grands préparatifs pour la fête printanière des jeunes filles. On rangeait et on nettoyait toute la maison, on sortait des armoires les habits de fête et, dans la cuisine, on confectionnait les gâteaux de riz traditionnels, parfumés aux herbes printanières.

Celle qui se réjouissait le plus de tout ce gai remue-ménage, c'était la gracieuse Okamé. Sa voix résonnait gaiement dans toute la maison, elle riait et plaisantait, et tous ces préparatifs ressemblaient plus à un jeu qu'à un travail.

Mais l'après-midi, son comportement devint étrange. Tout à coup, elle devint muette ; par instants, elle restait immobile ou bien elle se mettait à courir sans raison, elle se cachait et son ouvrage lui tombait des mains.

Sa tante, Madame Takae, fut la première à s'apercevoir de cette transformation, et elle lui demanda si elle ne se sentait pas bien. Mais Okamé se sauva et, sans rien répondre, alla se cacher. Puis elle renversa un vase de fleurs, répandit le bois dans la cour, grimpa même sous la véranda, et les servantes se mirent à dire entre elles qu'Okamé était sans aucun doute un renard qui avait pris forme humaine – tour dont ils sont coutumiers. La vieille cuisinière, à qui tout ce désordre et ces chuchotements déplaisaient, l'exprima finalement à haute voix :

– Je pense que notre Okamé n'est qu'un renard qui s'est introduit chez nous et qui veut nous jeter un sort. Prenons des bâtons et chassons-le !

– Comment pourrait-elle être un renard ? rétorqua Madame Takae avec colère. Je la connais depuis sa naissance et je l'ai amenée moi-même de notre village. La pauvrette doit être malade.

L'attitude de la jeune fille était de plus en plus bizarre, et les servantes se mettaient à en avoir peur, poussées par les paroles de la cuisinière. À la fin, tout cela parut étrange, même à Takae.

Elle demanda à la maîtresse de maison de faire venir un exorciseur qui pourrait sans doute voir ce qui était arrivé à Okamé.

L'exorciseur arriva, les femmes s'assirent en rond et mirent Okamé au milieu.

L'exorciseur fit trois fois le tour du cercle en récitant des mots magiques. Puis il s'assit en face d'Okamé et la regarda fixement. Tout d'abord, la jeune fille ne fit pas un mouvement, comme si elle avait été absente, puis, tout à coup, elle baissa la tête et parla d'une voix tout à fait étrangère :

– Je suis le renard Rin et je possède cette jeune fille. Je me suis introduit chez vous de cette manière parce que j'ai très faim et parce que vous avez ici plein de bonne nourriture. Donnez-moi un peu de ces gâteaux verts parfumés et je m'en irai.

Cela déplut fort à la cuisinière qui n'aimait pas beaucoup Okamé, parce qu'elle la trouvait trop joyeuse et trop bruyante. Aussi dit-elle tout de suite :

– Je comprends tout, joli renard ! C'est cette gourmande d'Okamé qui a tout imaginé pour goûter aux gâteaux avant le jour de la fête ! Ne lui donnez rien !

Mais personne ne l'écouta, et Takae elle-même courut chercher un plateau de gâteaux qu'elle posa devant la jeune fille. Celle-ci en avala tout de suite cinq l'un après l'autre, comme si elle n'avait pas mangé depuis trois jours. Puis elle resta assise, immobile, comme absente, et rien ne se passa.

L'exorciseur lui demanda alors :

– Que veux-tu alors, Rin ? Tu as promis que tu t'en irais.

Okamé se tortilla et répondit de sa voix étrangère :

– Ce sont de bons gâteaux, des gâteaux de fête. Je me suis régalé. Mais j'ai une famille de cinq enfants, et nous voudrions, nous aussi, célébrer une fois la fête des jeunes filles. Ma vieille grand-mère n'a jamais mangé de gâteaux aussi délicieux. Donnez-m'en quelques-uns à emporter, et je partirai vraiment.

– Ça, on peut le dire, que ce sont des gâteaux délicieux ! reprit la cuisinière. Ce n'est pas partout qu'on en trouve des comme ça ! C'est bien dommage d'en donner aux renards. Ne lui donnez rien et battez-le !

Mais la maîtresse de maison elle-même ordonna que l'on apporte un grand plat de gâteaux. Takae les noua dans une serviette et les posa sur les genoux de la jeune fille. Okamé s'inclina et parla pour la troisième fois de sa voix étrangère :

– Je vous remercie respectueusement pour moi, mes enfants et ma grand-mère. Je vous suis très reconnaissant de votre générosité. Et maintenant, s'il vous plaît, chassez-moi.

L'exorciseur fit un geste à Takae qui s'approcha de la jeune fille

avec un geste de menace et lui cria :

–Va-t'en, répugnant renard Rin, cours et ne te montre plus jamais !

Okamé bondit et se mit à fuir. Mais à peine eut-elle fait quelques pas qu'elle trébucha et tomba. Elle se releva aussitôt, regarda autour d'elle, et de son habituelle voix harmonieuse, elle demanda :

– Qu'est-ce qui se passe ? Est-ce qu'il m'est arrivé quelque chose ? Pourquoi me regardez-vous ainsi ? Je n'ai fait que glisser !

– Regardez là-bas, dit l'exorciseur en montrant l'extérieur.

Et on vit le renard Rin qui tournait le coin de la rue, la serviette pleine de gâteaux de fête dans la gueule.

Et tous furent contents, parce que c'était la preuve qu'Okamé n'était pas un renard. Un renard ne peut pas en posséder un autre.

Raiponce

illustré par Hanoa Silvy

Il était une fois un mari et son épouse, qui souhaitaient depuis longtemps avoir un enfant. Un jour enfin, la femme caressa l'espoir que le Bon Dieu exaucerait ses vœux.

Ces gens avaient à l'arrière de leur maison une petite fenêtre depuis laquelle ils pouvaient apercevoir un splendide jardin où poussaient les plus belles fleurs et les meilleurs simples ; mais il était entouré d'un haut mur et personne ne s'y risquait car il appartenait à une puissante magicienne que tous craignaient.

Un jour, la femme se tenait devant la fenêtre et regardait dans le jardin. Là, elle vit une plate-bande où poussaient de belles raiponces qui paraissaient si fraîches et vertes qu'elle eut une grande envie d'en manger.

L'envie grandissait chaque jour et comme elle savait qu'elle ne pourrait pas en avoir, elle dépérissait, pâlissait et prenait un air de plus en plus misérable. Alors le mari prit peur et demanda :

– Que te manque-t-il, ma chère épouse ?

– Hélas, répondit-elle, si je ne peux manger de ces raiponces du jardin derrière notre maison, alors je mourrai.

L'homme qui aimait sa femme pensa :

« Eh, laisseras-tu ton épouse mourir ? Va lui chercher des raiponces quoiqu'il pût t'en coûter. »

Lorsque le crépuscule fut arrivé, il escalada le mur du jardin de la magicienne, cueillit rapidement une pleine poignée de raiponces et les rapporta à son épouse. Elle s'en fit aussitôt une salade et la mangea d'un coup avidement. Elles lui plurent tant que le jour suivant elle en eut encore trois fois plus envie. Pour la calmer, l'homme dut encore une fois escalader le mur du jardin. Il le fit à nouveau au crépuscule. Mais tandis qu'il grimpait au mur il fut brusquement effrayé car il aperçut la magicienne qui se tenait devant lui.

– Comment peux-tu te risquer, dit-elle avec un regard plein de colère, à pénétrer dans mon jardin et me voler mes raiponces comme un brigand ? Tu vas être puni !

– Hélas, répondit-il, faites-moi grâce et justice. Je ne l'ai fait que par nécessité. Mon épouse a vu vos raiponces depuis notre fenêtre et en conçut une telle envie qu'elle en serait morte si elle n'avait pas pu en manger.

La magicienne laissa alors tomber son courroux et lui dit :

– Prends-en autant que tu voudras, j'y mets seulement une condition : tu dois me donner l'enfant que ta femme mettra au monde. Il sera bien traité et je m'en occuperai comme une mère.

L'homme par peur acquiesça à tout, et lorsqu'après quelques semaines sa femme accoucha, la magicienne arriva immédiatement, donna le nom de Raiponce à l'enfant et l'emmena avec elle.

Raiponce devint la plus belle enfant qui soit. Lorsqu'elle eut douze ans, la magicienne l'enferma dans une tour qui se dressait dans une forêt et qui ne possédait ni escalier ni porte ; seule, tout en haut, s'ouvrait une petite fenêtre.

Quand la magicienne voulait entrer, elle se tenait au bas et appelait :

– Raiponce, Raiponce, dénoue et lance vers moi tes cheveux !

Raiponce avait de longs et splendides cheveux fins et filés

comme de l'or. Lorsque la voix de la magicienne lui parvenait, elle dénouait ses nattes, les passaient autour d'un crochet de la fenêtre et les laissait tomber vingt pieds plus bas. Ainsi, la magicienne pouvait grimper dans la tour.

Quelques années plus tard, le fils du roi qui chevauchait par ces bois vint à passer près de la tour. Il entendit un chant qui était si doux qu'il s'arrêta et écouta. C'était Raiponce, qui dans sa solitude passait le temps en chantant et faisait résonner sa douce voix. Le fils du roi voulut monter auprès d'elle et chercha une porte : mais il n'en trouva aucune. Il s'en retourna alors chez lui. Mais le chant l'avait tellement ému, que chaque jour il partait pour les bois pour l'écouter. Une fois, alors qu'il se tenait sous un arbre, il vit la magicienne venir et il l'entendit appeler :

– Raiponce, Raiponce, dénoue et lance vers moi tes cheveux !

Alors Raiponce laissa tomber ses tresses et la magicienne grimpa à elle.

« Est-ce l'échelle par laquelle on parvient en haut ? se dit le prince. Alors je veux aussi tenter ma chance. »

Et le jour suivant, tandis que le crépuscule pointait, il s'en alla vers la tour et appela :

– Raiponce, Raiponce, dénoue et lance vers moi tes cheveux !

Aussitôt, la chevelure tomba et le prince escalada la tour.

Au début Raiponce fut horriblement effrayée qu'un homme vint jusqu'à elle alors qu'elle n'en avait jamais vu. Mais le prince commença à lui parler amicalement et lui raconta que son cœur avait été si profondément ému par son chant qu'il ne l'avait plus laissé en paix.

Raiponce se sentit rassurée, et lorsque le prince lui demanda si elle souhaitait l'avoir pour époux, elle vit qu'il était jeune et beau et lui dit « oui ». Elle prononça ces mots :

– Je veux bien venir avec toi mais j'ignore comment descendre. Lorsque tu viendras, apporte un écheveau de soie dont je ferai une échelle et lorsqu'elle sera prête, je descendrai pour que tu m'emportes sur ton cheval.

Ils convinrent qu'il viendrait à elle tous les soirs, car la vieille venait le jour. La magicienne n'en remarqua rien, jusqu'à ce qu'un

jour Raiponce lui dise :

– Dites-moi grand-mère, comment se peut-il que vous soyez plus lourde à soulever que le jeune prince qui en un instant est auprès de moi ?

– Hélas, enfant impie ! s'exclama la magicienne, qu'est-ce que j'entends ? Je pensais t'avoir mise à l'écart du monde et tu m'as trahie !

Dans sa colère elle attrapa la chevelure de Raiponce, et en un clin d'œil coupa les tresses avec une paire de ciseaux. Elle était tellement sans pitié que Raiponce fut exilée dans une contrée désertique où elle dut vivre dans la privation et la peine.

Le jour même où Raiponce fut bannie, la magicienne accrocha les tresses à la fenêtre et lorsque le prince arriva et appela :

– Raiponce, Raiponce, dénoue et lance vers moi tes cheveux !

Elle laissa choir les cheveux. Le prince monta mais au lieu de sa chère Raiponce il trouva la magicienne qui lui jeta un regard méchant et empoisonné.

– Ah, ah ! ricana-t-elle. Tu viens chercher ta bien-aimée, mais le bel oiseau n'est plus au nid et ne chante plus, le chat l'a emporté, comme il va maintenant t'arracher les yeux. Raiponce est perdue pour toi, tu ne la reverras plus jamais !

Le prince sentit la douleur l'envahir, et de désespoir il bondit par la fenêtre. Il survécut mais les épines du bosquet dans lequel il tomba lui crevèrent les yeux. Il erra aveugle dans la forêt, ne mangeant que racines et baies, et il ne fut plus que pleurs et peines de la perte de sa chère promise.

Il se traîna ainsi quelques années misérablement et atteignit finalement la contrée déserte où Raiponce survivait avec les jumeaux qu'elle avait mis au monde, un garçon et une fille. Il entendit une voix, qui lui semblait familière. Il s'approcha et Raiponce le reconnut, elle se pendit à son cou et se mit à pleurer.

Deux de ses larmes tombèrent dans ses yeux et il recouvra ainsi la vue qu'il avait perdue.

Il l'emmena dans son royaume où il fut accueilli avec joie. Ils y vécurent longtemps heureux et sereins.

Histoires d'animaux

Le Crapaud

conte illustré par Anaïs Rotteleur

Un puits était si profond que le soleil ne parvenait jamais à se mirer dans l'eau, si claire qu'elle fût. C'est là que vivait une famille de crapauds, partageant l'humide habitacle avec les grenouilles vertes, leurs lointaines cousines.

Les jeunes grenouilles vertes trouvaient les vieux crapauds bien vilains et leurs petits, à vrai dire, tout autant.

– C'est bien possible, rétorquait la mère crapaud, mais l'un d'eux a une pierre précieuse dans la tête, et, allez savoir, je l'ai peut-être aussi !

Et tous la croyaient ! Certains étaient même un peu jaloux... Le plus petit crapaud, seul, se désintéressait de la question. Son unique désir, à lui, était d'atteindre la margelle du puits pour voir ce qui se passait au-dehors.

Un jour que le petit garçon de la ferme tirait l'eau du puits, il fut surpris par le crapaud qu'il avait remonté avec le seau :

– Fi, quelle horreur ! dit le garçon. C'est le plus vilain crapaud que j'ai jamais vu !

Et de son sabot, il donna un coup de pied au crapaud qui vola au milieu de hautes orties.

– C'est beaucoup mieux ici qu'en bas, fit alors le crapaud sans se démonter. On aurait envie de rester ici toute sa vie !

Il resta là une heure, il en resta deux. Il demeura huit jours près

d'un fossé où la nourriture ne manquait pas. Le neuvième jour, il s'était lassé et se dit : « plus loin ! » Et il se remit en route.

Une nuit, il arriva dans un champ près d'une grande mare entourée de joncs, et s'en approcha pour se reposer. Il vit luire les étoiles, il vit briller la nouvelle lune, puis il vit le soleil se lever le matin et monter de plus en plus haut.

Et le lendemain, après cette nuit sous le ciel immense, il se trouva à nouveau sur la grand-route où habitaient les hommes. Il y avait là des jardins et des potagers et même une basse-cour.

– Quelle variété de créatures ! Et comme le monde est grand et merveilleux ! Mais il faut tout observer autour de soi et ne pas rester au même endroit.

Alors, il progressa, vit une ferme et regarda alentour.

Le père cigogne était dans son nid, sur le toit de la maison du paysan ; il jabotait avec la mère cigogne.

– Comme ils demeurent haut ! se dit le crapaud. Si l'on pouvait arriver tout là-haut !

Puis il observa attentivement la maison du paysan de ses gros yeux de bon crapaud curieux. Dans cette maison habitaient deux étudiants : l'un était poète, il chantait en vers brefs, clairs et somptueux ; l'autre naturaliste, il voulait tout connaître à fond et en rendre raison. Ils étaient braves et gais tous les deux.

– Voilà un bel exemplaire de crapaud, dit le naturaliste, il faut que je le mette dans de l'alcool.

– Tu en as déjà deux autres, dit le poète. Laisse-le s'amuser tranquillement !

– Il est si délicieusement laid, dit l'autre.

– Évidemment, si nous pouvions trouver la pierre précieuse dans sa tête, dit le poète, je prendrais part moi-même à sa dissection.

– La pierre précieuse ! dit l'autre. Tu connais bien l'histoire naturelle !

– Ils ont aussi parlé de la pierre précieuse ! dit le crapaud. Décidément ! Il est heureux que je ne l'aie pas, sans quoi j'aurais eu des ennuis.

Un jacassement se fit alors entendre sur le toit du paysan. Le père cigogne faisait une conférence à sa famille. Et la mère cigogne

évoquait le pays d'Égypte et l'eau du Nil.

– Il faut que j'aille en Égypte, se dit le crapaud, car j'en ai tellement envie et je suis si heureux ! Tout le plaisir et le désir que j'éprouve, ça vaut certainement mieux que d'avoir une pierre dans la tête.

Et il ne savait pas qu'il l'avait, justement, la pierre précieuse, et qu'elle représente les éternels désir et plaisir de monter, monter toujours, avec joie et enthousiasme !

C'est à ce moment qu'arriva le père cigogne : il avait vu le crapaud dans l'herbe, il se précipita et saisit le petit animal.

Et couac ! Il le tua !

Mais alors, l'étincelle des yeux du petit crapaud, que devint-elle ?

Le rayon de soleil emporta la pierre précieuse qui était dans sa tête.

Mais où ?

Ne le demandez pas au naturaliste, demandez-le plutôt au poète, il vous le dira sous forme de conte. Songez donc !
La chenille se transforme et devient un charmant papillon.

La famille de cigognes vole par-dessus monts et mers pour gagner l'Afrique lointaine, et trouve quand même le chemin le plus court pour rentrer au pays danois, au même endroit, sur le même toit ! C'est presque trop fantastique, et pourtant c'est vrai !

Mais la pierre précieuse ?

Cherchez-la dans le soleil ! Cherchez-la partout ! Cherchez-la toujours !

Les Trois Sous

conte illustré par Jérôme Brasseur

Quand j'étais jeune, on m'avait placé dans une ferme. À la fin de ma première année de travail, mon maître m'a donné un sou. Je l'ai pris et l'ai jeté dans le puits, en me disant : « Si j'ai bien travaillé, que le sou remonte à la surface. Si j'ai mal fait, qu'il tombe au fond du puits. » La pièce est tombée au fond du puits.

Je suis donc resté une deuxième année à la ferme, à l'issue de laquelle j'ai reçu un deuxième sou. Je l'ai pris et je l'ai jeté dans le puits, en me disant : « Si j'ai bien travaillé, que le sou remonte à la surface. Si j'ai mal fait, qu'il tombe au fond du puits. » Cette fois encore, la pièce est tombée au fond du puits.

Je suis donc resté une troisième année à la ferme, à l'issue de laquelle j'ai reçu un troisième sou. Je l'ai pris et je l'ai jeté dans le puits en me disant : « Si j'ai bien travaillé, que le sou remonte à la surface. Si j'ai mal fait, qu'il tombe au fond du puits. » Et les trois pièces sont remontées à la surface…

Mon argent en poche, je suis parti parcourir le monde, et j'ai rencontré une souris qui m'a dit :

– Donne-moi un sou pour que je puisse payer mes impôts. Un jour, je te rendrai service à mon tour.

« Pour acheter du pain et du sel, j'ai bien assez de deux sous, pensai-je, je me passerai de vin. » Et j'ai donné un sou à la souris.

Peu de temps après, j'ai rencontré une écrevisse qui m'a dit :

– Donne-moi un sou pour que je puisse payer mes impôts. Un jour, je te rendrai service à mon tour.

« Pour acheter du pain, j'ai bien assez d'un sou, pensai-je, je me passerai de sel. » Et j'ai donné un sou à l'écrevisse. Mais tout de suite après, j'ai rencontré un scarabée qui m'a dit :

– Donne-moi un sou que je puisse payer mes impôts. Un jour, je te rendrai service à mon tour.

« Je trouverai toujours quelqu'un de généreux qui me donnera

à manger, pensai-je, je peux me passer d'argent. » Et j'ai donné mon troisième et dernier sou au scarabée.

J'ai poursuivi ma route et je suis arrivé aux portes d'un palais. Le roi de ce pays avait une fille unique dont la tristesse était si profonde qu'elle ne souriait jamais. Il avait donc fait annoncer que celui qui guérirait la princesse et parviendrait à la faire rire

recevrait sa main

et la moitié de son royaume.

« Je n'ai pas un sou en poche, mais peut-être pourrai-je faire rire la princesse », pensai-je. J'ai appelé mes trois amis : la souris, l'écrevisse et le scarabée. J'ai demandé à ce dernier de jouer de la musique, et à la souris et à l'écrevisse de danser. Ce fut un spectacle si drôle que la princesse mélancolique rit aux éclats. Mais elle ne fut pas la seule : le roi rit également, ainsi que toute la cour. Quant à mes amis et moi-même, nous étions, nous aussi, très gais.

J'ai épousé la princesse, sans un sou en poche. J'ai vécu comme un seigneur. J'ai gouverné avec sagesse. J'ai soulagé les pauvres et j'ai aimé tous mes sujets, du plus humble au plus riche.

C'est fou ce qu'on peut faire avec trois sous !

Comment le tigre se retrouva rayé

conte illustré par Pascale Breysse

Dans des temps très reculés, quand les animaux pouvaient encore parler comme les hommes, il advint un jour que le tigre, puissant seigneur de la jungle, s'aventura lors d'une promenade jusqu'au bord d'une rizière qu'un paysan était justement en train de labourer avec son buffle. Le tigre en resta pantois et refusa d'en croire ses yeux : comment ? Cette minuscule créature à deux pattes, sans griffes ni crocs, n'avait besoin que d'une baguette de bambou pour faire aller et venir l'énorme buffle d'un bout à l'autre du champ ?

« Ce n'est pas dans l'ordre des choses », se dit le tigre. Et, comme il voulait absolument en avoir le cœur net, il se cacha dans l'herbe haute et observa le manège des deux autres. Quand le soleil atteignit le point le plus haut de sa trajectoire céleste, l'homme libéra le buffle de son joug et l'envoya paître dans le champ. Puis il s'assit sous un arbre et déballa son repas.

Le tigre attendit que le buffle fût assez près de lui et chuchota : « Viens par ici, petit frère, et explique-moi comment il se fait que toi, un animal

si fort, tu obéisses à un homme de rien du tout ! »

Le buffle, flairant l'odeur du tigre sanguinaire, fut pris d'une peur bleue ; mais il rassembla son courage et s'avança de quelques pas pour lui répondre : « C'est ainsi, ô le plus puissant de tous les animaux ! L'homme est peut-être faible en apparence, mais il possède une arme redoutable qui se nomme “cerveau”. Cette arme lui permet de commander à des êtres beaucoup plus forts que lui. Aussi, je ne puis que te conseiller de fuir avant qu'il ne soit trop tard ! »

« Il ne manquerait plus que ça ! grommela le tigre. Déguerpir, moi, maintenant que je sais en quoi consiste la force de l'homme ? Je ne suis tout de même pas aussi poltron que le buffle ! Je vais forcer le paysan à me donner son arme. Alors, je serai la créature la plus puissante de toute la terre ! »

Le tigre bondit hors de sa cachette et se jeta sur l'homme, qui crut aussitôt sa dernière heure venue. Mais le fauve se contenta de le renverser et de lui cracher au visage :

– Homme ! J'ai entendu dire que tu

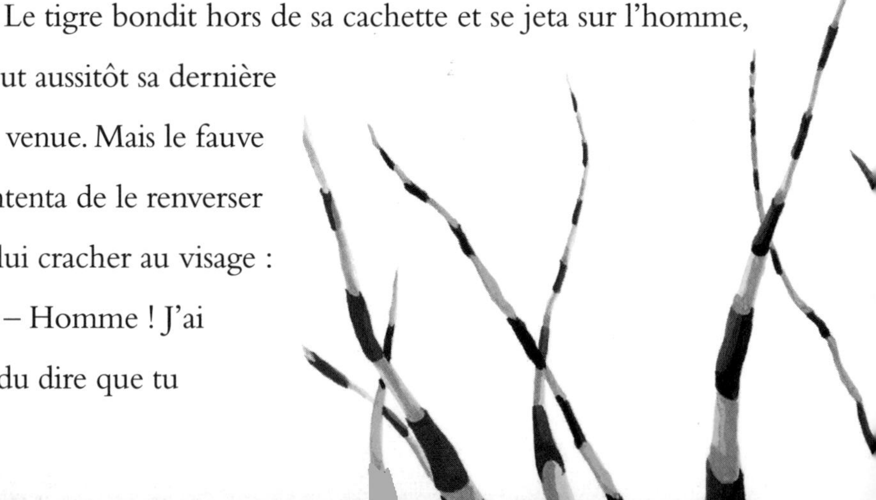

possèdes une arme formidable, qui se nomme « cerveau ». Est-ce vrai ? Si c'est vrai, donne-la-moi sur-le-champ. Je te croquerai après.

L'homme combattit sa terreur et répondit d'une voix tranquille :

– Respectable tigre, ce sera pour moi un grand honneur de te donner mon cerveau. Mais il te faudra patienter un peu, car il est évident que je n'emporte pas une arme aussi précieuse aux champs, et qu'elle est cachée dans ma maison. Il faut donc que j'aille te la chercher au village.

Cette solution ne convenait guère au tigre, mais que pouvait-il faire ? S'il voulait le cerveau, il fallait bien qu'il accepte. Toutefois, pour s'assurer que l'homme ne changerait pas d'avis en chemin, il annonça qu'il voulait l'accompagner.

– Comme tu voudras, répondit le paysan, mais je dois te mettre en garde : dès que les villageois t'apercevront, ils sortiront des lances, des bâtons et des pierres pour essayer de te tuer. Tu sais sans doute que tu n'as pas très bonne réputation chez nous, et que l'on te considère comme la terreur de toute la région !

– Tu as raison, il vaut mieux que tu y ailles seul, mais hâte-toi et fais en sorte d'être de retour sans tarder !

– Promis ! Promis ! Je n'ai qu'une petite condition à t'imposer : pendant que j'irai au village, tu resteras avec mon buffle. Il pourrait arriver que tu ressentes une petite faim et que tu aies envie de le dévorer. Or, nous avons conclu un marché à propos de mon cerveau, mais pas à propos de mon buffle. C'est pourquoi il vaudrait mieux que je te ligote à un arbre, afin de t'éviter toute tentation.

Le seigneur de la jungle dut admettre que la créature à deux pattes, une fois de plus, avait raison.

L'homme se mit donc à tresser de la paille de riz pour en confectionner des liens solides et attacha le tigre au tronc d'un arbre.

– Bon, à présent ne te mets pas davantage en retard et cours vite me chercher ce cerveau ! déclara le fauve.

L'homme éclata d'un grand rire :

– Espèce d'animal stupide ! Depuis l'aube des temps, les hommes portent leur cerveau dans leur tête ! C'est la force de mon cerveau qui t'a ligoté à cet arbre, toi, le seigneur de la jungle !

Après quoi, fatigué, il s'installa dans l'herbe et alluma un feu pour réchauffer le repas que l'arrivée du tigre avait interrompu. Mais la chaleur ne tarda pas à embraser la paille de riz qui retenait le tigre prisonnier, et les liens en feu creusèrent de profondes marques noires dans son pelage. À moitié fou de douleur, le seigneur de la jungle déchira les dernières attaches et s'enfuit dans la forêt. C'est depuis ce jour-là que le tigre a non seulement un pelage rayé de noir, mais aussi une peur panique du feu.

Mais le buffle, lui aussi, a conservé un souvenir de cet incident : il a tellement ri de la bêtise du tigre qu'il en a fait une culbute, et qu'il s'est cassé les incisives supérieures sur la pierre. Depuis lors, tous les buffles ont un trou à cet endroit.

Et l'homme ?

Aujourd'hui encore, il a son cerveau.

Le Petit Coq et le moulin magique

conte illustré par Laura Guéry

Il était une fois un petit vieux et une petite vieille qui étaient bien pauvres. Ils n'avaient plus rien du tout à manger, alors ils allèrent dans les bois ramasser des glands, car on peut manger des glands quand on a grand-faim. Ils rentrèrent chez eux et se mirent à manger leurs glands. Bientôt, il ne resta plus qu'un gland sur la table. Mais il roula sur le sol et se coinça dans une fissure.

Quelques jours après, il en sortit un petit chêne qui poussa, poussa, poussa jusqu'au plafond.

La petite vieille dit :

– Grand-père, fais un trou dans le plafond pour qu'il ait la place de pousser. Comme ça, nous ne serons plus obligés d'aller au bois pour avoir des glands.

Le petit vieux fit un trou dans le plafond, il fit même un trou dans le toit et le petit chêne, poussa, poussa, poussa si haut qu'il atteignit le ciel.

La petite vieille dit alors :

– Grand-père, prends un sac, grimpe dans le chêne et cueille des glands. Il n'y a plus rien à manger.

Le petit vieux prit un sac et grimpa dans le chêne. Il grimpa, grimpa, grimpa si haut qu'il atteignit le ciel.

Le petit vieux entra dans le ciel, il regarda autour de lui, il regarda, regarda et que vit-il ? Un petit coq avec une crête d'or était assis là et, à côté de lui, il y avait un petit moulin. Le petit vieux ne fit ni une ni deux, il attrapa le petit coq et le fourra dans son sac, et puis il fourra aussi le moulin.

– Voyez-vous ça, s'écria la petite vieille quand le petit vieux sortit de son sac le coq à la crête d'or et le moulin. Mais qu'est-ce que nous allons manger ?

– Ça, je ne sais pas, dit le petit vieux et il tourna la manivelle du moulin.

Quelque chose grinça, quelque chose craqua et du moulin tombèrent et des crêpes et des pirojki, et des pirojki et des crêpes, tellement et tellement que le petit vieux et la petite vieille ne

pouvaient pas tout manger, même avec l'aide du coq à la crête d'or.

Et désormais, ils firent tous les jours bombance.

Mais longtemps, assez longtemps après, un barine passa par là et il entra dans la chaumière du petit vieux et de la petite vieille.

– Hé ! Braves gens, je veux à boire, dit-il. Et aussi à manger.

La petite vieille apporta au barine une écuelle de lait et lui moulut des crêpes et des pirojki avec son moulin magique.

– Voyez-vous ça, s'étonna le barine. Grand-mère, vends-moi ton moulin magique.

– Il n'est pas à vendre, répondit la petite vieille en branlant la tête.

– Si tu ne veux pas le vendre, je le prendrai gratis, ricana le barine.

Il s'empara du moulin… et le voilà parti.

Le petit vieux et la petite vieille se mirent à se lamenter, à pleurer, à crier, mais cela ne leur rendit pas le moulin magique.

Le petit coq à la crête d'or prit alors la parole :

– Ne pleurez pas, ne vous lamentez pas, je vous rapporterai le moulin.

Et le voilà parti à la poursuite du barine.

Le coq arriva chez le barine, se posa sur la porte de la cour et se mit à crier :

– Cocorico, cocorico, barine, barine, rends le moulin magique !

Le barine l'entendit et ordonna à un domestique :

– Jette ce coq dans le puits !

Le serviteur attrapa le coq et le jeta dans le puits, mais celui-ci dit seulement :

– Petit bec, petit bec, bois toute l'eau.

Et quand le coq eut bu toute l'eau, il s'envola du puits, se posa sur la fenêtre et se mit à crier encore plus fort :

– Cocorico, cocorico, barine, barine, rends le moulin magique !

Le barine se prit la tête dans les mains et cria :

– Maudit coq ! Que le cuisinier le jette dans le four !

Le cuisinier s'empara du coq, le jeta dans le four brûlant, mais le coq dit seulement :

– Petit bec, petit bec, reverse toute l'eau !

Et l'eau du puits éteignit le four brûlant.

Alors le coq s'envola du four et alla directement dans la salle du château. Et il se mit à crier de toutes ses forces :

– Cocorico, cocorico, barine, barine, rends le moulin magique !

La salle était pleine d'invités et le barine était justement en train de leur montrer le moulin magique. Quand ils entendirent les cris du coq, ils eurent peur et se sauvèrent chez eux. Le barine les suivit et le coq à la crête d'or en profita pour prendre le moulin magique et rentra bien vite chez le petit vieux et la petite vieille.

Le petit vieux et la petite vieille furent bien heureux que le coq leur rapporte le moulin magique et ils recommencèrent à faire bombance. Le moulin leur moulait toujours des crêpes et des pirojki, des pirojki et des crêpes et c'est tout ce que je sais et je ne vous en dirai pas plus.

Pour une gorgée d'eau

conte illustré par Amandine Wanert

Un jour, une perdrix couvant ses œufs, par temps de grosse chaleur, appela son mâle et lui demanda de lui apporter une gorgée d'eau de la rivière.

– Hélas ! répondit-il. Je suis très fatigué sous ce soleil qui a changé notre douce vallée en désert brûlant, et je ne peux délaisser ma sieste. Mais si tu insistes, je te propose de te garder tes œufs en couvant à ta place, le temps que tu ailles te désaltérer.

La perdrix accepta et s'envola jusqu'à la rivière où elle but une gorgée d'eau.

À son retour, elle pria le mâle de bien vouloir lui rendre son nid. Mais celui-ci, épuisé par l'effort qu'il venait d'accomplir en quittant sa branche, n'accepta de bouger qu'à la seule condition que sa femelle lui

apporte un fruit du mûrier.

– Seul ce fruit pourrait me rafraîchir et me rendre mes forces ! ajouta-t-il.

La perdrix s'envola jusqu'au bosquet et se posa sur un rameau de mûrier.

– Donne-moi un de tes fruits, lui dit-elle. Car, voici l'histoire qui me désole : j'avais demandé à mon mâle de m'apporter une gorgée d'eau de la rivière, le soleil étant brûlant tandis que je couvais mes œufs. Mais lui-même, accablé par la chaleur, préféra me permettre de m'y rendre, en me remplaçant sur le nid, où il continuerait sa sieste. Je partis me désaltérer à la rivière, mais à mon retour, il ne consentit à me céder la place que si je lui ramenais une mûre, seule capable de le rafraîchir et de lui donner le courage de regagner sa branche.

L'arbre répondit à la perdrix qu'il accepterait volontiers, mais que pour que l'un de ses fruits tombe, il fallait que le loup frotte son échine fortement contre son tronc.

La perdrix s'envola et partit à la recherche du loup qui se cachait dans la forêt.

– Peux-tu venir à mon aide ? lui cria-t-elle, quand elle le découvrit. Car, voici l'histoire qui me désole : j'avais demandé à mon mâle de m'apporter une gorgée d'eau de la rivière, le soleil étant brûlant tandis que je couvais mes œufs. Mais lui-même, accablé par la chaleur, préféra me permettre de m'y rendre, en me remplaçant sur le nid, où il continuerait sa sieste. Je partis me désaltérer à la rivière, mais à mon retour, il ne consentit à me céder la place que si je lui ramenais une mûre, seule capable de le rafraîchir et de lui donner le courage de regagner sa branche. Or, le mûrier ne peut laisser tomber un fruit que si tu frottes fortement ton échine contre son tronc.

Le loup accepta de frotter son échine, à condition que le berger lui offre un agneau de la bergerie qui se trouvait dans la clairière.

La perdrix s'envola et se posa sur l'épaule du berger.

– Peux-tu venir à mon aide ? le supplia-t-elle. Car, voici l'histoire qui me désole : j'avais demandé à mon mâle de m'apporter une gorgée d'eau de la rivière, le soleil étant brûlant tandis que je couvais mes œufs. Mais lui-même, accablé par la chaleur, préféra me permettre de m'y rendre, en me remplaçant sur le nid, où il continuerait sa sieste. Je partis me désaltérer à la rivière, mais à mon retour, il ne consentit à me céder la place que si je lui ramenais une mûre, seule capable de le rafraîchir et de lui donner le courage de regagner sa branche. Or, le mûrier ne peut laisser tomber un fruit que si le loup frotte fortement son échine contre son tronc, et le loup n'accepte de frotter son échine que si tu lui offres l'un de tes agneaux…

Le berger marchanda. En échange de cet agneau, il voulait un petit chien pour garder son troupeau.

La perdrix s'envola et se posa sur la tête d'une chienne qui veillait sur sa portée.

– Peux-tu venir à mon aide ? l'implora-t-elle. Car, voici l'histoire qui me désole : j'avais demandé à mon mâle de m'apporter une gorgée d'eau de la rivière, le soleil étant brûlant tandis que je couvais mes œufs. Mais lui-même, accablé par la chaleur, préféra me permettre de m'y rendre, en me remplaçant sur le nid, où il continuerait sa sieste. Je partis me désaltérer à la rivière, mais à mon retour, il ne consentit à me céder la place que si je lui ramenais une mûre, seule capable de le rafraîchir et de lui donner le courage de regagner sa branche. Or, le mûrier ne peut laisser tomber un fruit que si le loup frotte fortement son échine contre son tronc, et le loup n'accepte de frotter son échine que si le berger lui offre l'un de ses agneaux, et le berger n'offrira l'un de ses agneaux que si je lui apporte un petit chien pour garder son troupeau…

La chienne répondit que, nourrissant ses chiots, elle se trouvait fort affamée. Elle abandonnerait pourtant l'un de ses petits chiens si la perdrix lui déchirait un morceau de l'enveloppe du petit de la jument qui venait de mettre bas, dans l'écurie.

La perdrix s'envola et alla se poser sur la litière de la jument.

– Peux-tu venir à mon aide ? se plaignit-elle. Car, voici l'histoire qui me désole : j'avais demandé à mon mâle de m'apporter une gorgée d'eau de la rivière, le soleil étant brûlant tandis que je couvais mes œufs. Mais lui-même, accablé par la chaleur, préféra me permettre de m'y rendre, en me remplaçant sur le nid, où il continuerait sa sieste. Je partis me désaltérer à la rivière, mais à mon retour, il ne consentit à me céder la place que si je lui ramenais une mûre, seule capable de le rafraîchir et de lui donner le courage de regagner sa branche. Or, le mûrier ne peut laisser tomber un fruit que si le loup frotte fortement son échine contre son tronc, et le loup n'accepte de frotter son échine que si le berger lui offre l'un de ses agneaux, et le berger n'offrira l'un de ses agneaux que si je lui apporte un petit chien pour garder son troupeau, et la chienne ne m'abandonnera l'un de ses chiots que si je lui déchire un morceau de l'enveloppe de ton petit, puisque tu viens de mettre bas.

La jument promit un morceau de l'enveloppe de son petit, à condition que la perdrix lui procure une poignée d'herbe, car elle ne pouvait encore se déplacer pour se nourrir.

La perdrix s'envola et alla se poser sur la main d'un paysan, qui, de sa faucille, coupait l'herbe d'un champ.

– Peux-tu venir à mon aide ? gémit-elle. Car, voici l'histoire qui me désole : j'avais demandé à mon mâle de m'apporter une gorgée d'eau de la rivière, le soleil étant brûlant tandis que je couvais mes œufs. Mais lui-même, accablé par la chaleur, préféra me permettre de m'y rendre, en me remplaçant sur le nid, où il continuerait sa sieste. Je partis me désaltérer à la rivière, mais à mon retour, il ne consentit à me céder la place que si je lui ramenais une mûre, seule capable de le rafraîchir et de lui donner le courage de regagner sa branche. Or, le mûrier ne peut laisser tomber un fruit que si le loup frotte fortement son échine contre son tronc, et le loup n'accepte de frotter son échine que si le berger lui offre l'un de ses agneaux, et le berger n'offrira l'un de ses agneaux que si je lui apporte un petit chien pour garder son troupeau, et la chienne ne m'abandonnera l'un de ses chiots que si je lui déchire un morceau de l'enveloppe du petit de la jument qui vient de mettre bas, et la jument ne me promet ce morceau de l'enveloppe de son petit que si je lui procure une poignée d'herbe…

Le paysan ne refusa pas de donner la poignée d'herbe, mais il proposa de l'échanger contre le beurre d'une chèvre de la montagne.

La perdrix s'envola dans la montagne et se posa sur la tente de bergers nomades.

– Pouvez-vous me venir en aide ? se lamenta-t-elle. Car, voici l'histoire qui me désole : j'avais demandé à mon mâle de m'apporter une gorgée d'eau de la rivière, le soleil étant brûlant tandis que je couvais mes œufs. Mais lui-même, accablé par la chaleur, préféra me permettre de m'y rendre, en me remplaçant sur le nid, où il continuerait sa sieste. Je partis me désaltérer à la rivière, mais à mon retour, il ne consentit à me céder la place que si je lui ramenais une mûre, seule capable de le rafraîchir et de lui donner le courage de regagner sa branche. Or, le mûrier ne peut laisser tomber un fruit que si le loup frotte fortement son échine contre son tronc, et le loup n'accepte de frotter son échine que si le berger lui offre l'un de ses agneaux, et le berger n'offrira l'un de ses agneaux que si je lui apporte un petit chien pour garder son troupeau, et la chienne ne m'abandonnera l'un de ses chiots que si je lui déchire un morceau de l'enveloppe du petit de la jument qui vient de mettre bas, et la jument ne me promet ce morceau de l'enveloppe de son petit que si je lui procure une poignée d'herbe, et le paysan ne me refusera pas cette poignée d'herbe si je l'échange contre le beurre d'une chèvre de la montagne…

Les bergers consentirent à lui remettre une partie de leur beurre de chèvre. Mais comme ils se trouvaient éloignés de toute source, ils demandèrent à la perdrix de remplir auparavant leur tagouite d'eau fraîche venant d'un puits situé dans la plaine.

La perdrix accepta et vint se poser sur le bord d'un puits, la tagouite au bec.

Puis elle se mit à pleurer, sachant qu'elle n'aurait jamais la force de tirer l'eau du puits.

Un geai bleu qui survolait le puits se posa près d'elle et la questionna sur la raison de son chagrin.

– Je vais te conter l'histoire qui me désole, lui dit-elle. J'avais demandé à mon mâle de m'apporter une gorgée d'eau de la rivière, le soleil étant brûlant tandis que je couvais mes œufs. Mais lui-même,

accablé par la chaleur, préféra me permettre de m'y rendre, en me remplaçant sur le nid, où il continuerait sa sieste. Je partis me désaltérer à la rivière, mais à mon retour, il ne consentit à me céder la place que si je lui ramenais une mûre, seule capable de le rafraîchir et de lui donner le courage de regagner sa branche. Or, le mûrier ne peut laisser tomber un fruit que si le loup frotte fortement son échine contre son tronc, et le loup n'accepte de frotter son échine que si le berger lui offre l'un de ses agneaux, et le berger n'offrira l'un de ses agneaux que si je lui apporte un petit chien pour garder son troupeau, et la chienne ne m'abandonnera l'un de ses chiots que si je lui déchire un morceau de l'enveloppe du petit de la jument qui vient de mettre bas, et la jument me promet ce morceau de l'enveloppe de son petit à la condition que je lui procure une poignée d'herbe, et le paysan ne me refusera pas cette poignée d'herbe si je l'échange contre le beurre d'une chèvre de la montagne, et les bergers me remettront une partie du beurre de leurs chèvres si je remplis leur tagouite d'eau fraîche. Hélas, je n'aurai jamais la force de tirer l'eau de ce puits !

L'oiseau bleu lui dit de sécher ses larmes, car rien n'allait être plus facile que de conclure ce long marchandage.

– Souffle de l'air dans la tagouite jusqu'à ce qu'elle soit pleine, et lâche-la au-dessus du camp des bergers. Mais en même temps, tu leur crieras qu'ils se hâtent d'aller retirer les cabris des pis de leur mère. Tu ajouteras que tu les as vus téter le lait avidement, alors que tu survolais le troupeau depuis le matin, et que tu crains qu'il n'y ait plus de lait pour la traite du soir.

Aidée par le geai, la perdrix souffla dans la tagouite, puis elle s'envola avec l'outre gonflée d'air.

Quand elle fut parvenue au-dessus du campement des bergers nomades, elle s'écria :

– Je vous ai rempli la tagouite d'eau fraîche, ainsi que vous l'avez demandé. Mais avant de boire cette eau, hâtez-vous de courir à vos cabris. Depuis ce matin, je les vois téter leur mère, et j'ai bien peur qu'il ne vous reste plus de lait pour la traite du soir !

Les bergers quittèrent la montagne et coururent à leurs troupeaux qui paissaient plus bas.

Pendant ce temps, la perdrix chercha et découvrit la jarre de beurre suspendue à l'intérieur d'une tente.

Elle appela une souris qui passait par là et la pria de ronger la ficelle à laquelle était nouée la jarre.

La souris obéit.

La jarre tomba, et la perdrix ramassa le beurre.

Alors, elle s'envola à tire-d'aile et s'empressa de porter le beurre au paysan qui lui donna en échange la poignée d'herbe

qu'elle remit à la jument. Celle-ci déchira un morceau de l'enveloppe de son petit que la perdrix porta à la chienne. À son tour, la chienne lui céda l'un de ses chiots pour le berger qui lui offrit son agneau dernier-né. L'agneau rassasia l'appétit du loup qui, de contentement, alla se frotter contre le tronc du mûrier, et le fruit tomba.

Le mâle s'en saisit, agita ses ailes et regagna sa branche, tandis que la perdrix retrouvait sa couvée.

Ainsi, les histoires les plus extraordinaires ne doivent pas nous étonner, car dans ce monde, tout est dans la volonté…